まちごとインド
西インド008

シェカワティ
三角地帯に残る「壁絵の世界」
［モノクロノートブック版］

ジャイプル、ビカネール、デリーのあいだの三角地帯に点在するマンダワ、ナワルガル、ジュンジュヌといった小さな街々。シェカワティ地方と呼ばれるこの一帯は、鮮やかなフレスコ画で内装と外壁を飾り立てた邸宅群が残る。

このシェカワティ地方はデリーとペルシャ、グジャラートを結ぶ要衝にあたり、とくに18世紀以降、マールワーリーと呼ばれる商人を輩出した。財をなした商人た

ちは、競うように自らの邸宅を壁絵で彩っていき、街は屋外美術館とも呼べる姿を見せるようになった。

またこの地方は封建的な伝統が色濃く残り、夫に先立たれた寡婦が生きたまま火中に身を投じるサティーの多発地帯でもある。20世紀以降もサティが集中的に起こっているのがシェカワティ地方で、ジュンジュヌにはサティー総本山も立つ。

Asia City Guide Production
West India 008

Shekhawati

शेखावाटी/شیخاوتی

「まちごとインド」西インド 008

シェカワティ

三角地帯に残る「壁絵の世界」

「アジア城市（まち）案内」制作委員会
まちごとパブリッシング

まちごとインド
西インド 008
シェカワティ

Contents

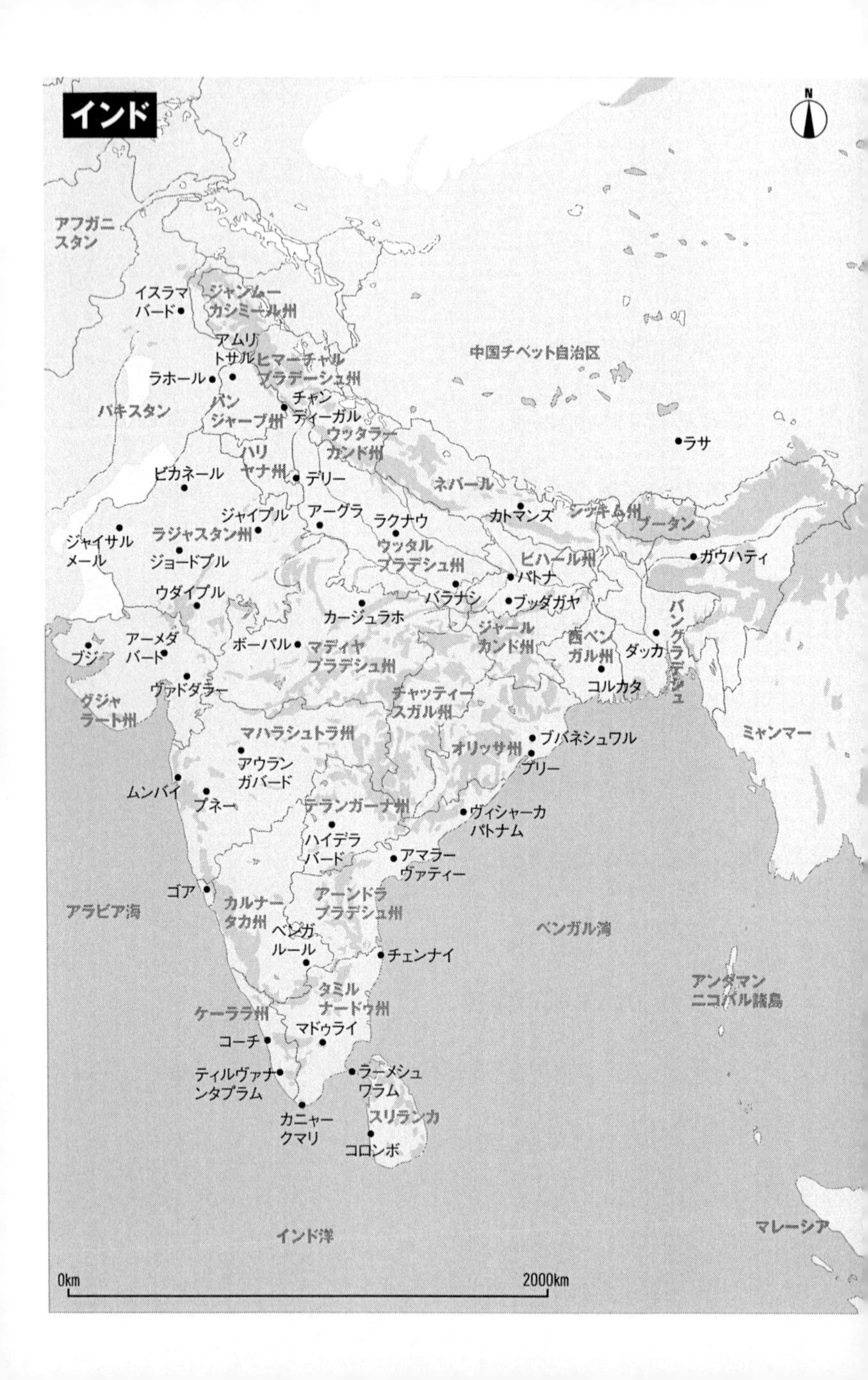
インド
N
アフガニスタン
パキスタン
イスラマバード
ジャンムーカシミール州
アムリトサル
ラホール
ヒマーチャルプラデーシュ州
パンジャーブ州
チャンディーガル
ウッタラーカンド州
ハリヤナ州
デリー
ビカネール
中国チベット自治区
ラサ
ネパール
カトマンズ
シッキム州
ブータン
ジャイプル
アーグラ
ラクナウ
ジャイサルメール
ラジャスタン州
ジョードプル
ウッタルプラデシュ州
ビハール州
パトナ
ガウハティ
バラナシ
ブッダガヤ
ウダイプル
カージュラホ
バングラデシュ
ジャールカンド州
西ベンガル州
ダッカ
アーメダバード
ブジ
ボーパル
マディヤプラデシュ州
コルカタ
ヴァドダラー
グジャラート州
チャッティースガル州
マハラシュトラ州
ブバネシュワル
ミャンマー
オリッサ州
プリー
アウランガバード
ムンバイ
プネー
テランガーナ州
ヴィシャーカパトナム
ハイデラバード
アマラーヴァティー
ゴア
アラビア海
カルナータカ州
アーンドラプラデシュ州
ベンガル湾
ベンガルール
チェンナイ
アンダマンニコバル諸島
タミルナードゥ州
ケーララ州
マドゥライ
コーチ
ティルヴァナンタプラム
ラーメシュワラム
カニャークマリ
スリランカ
コロンボ
インド洋
マレーシア
0km
2000km

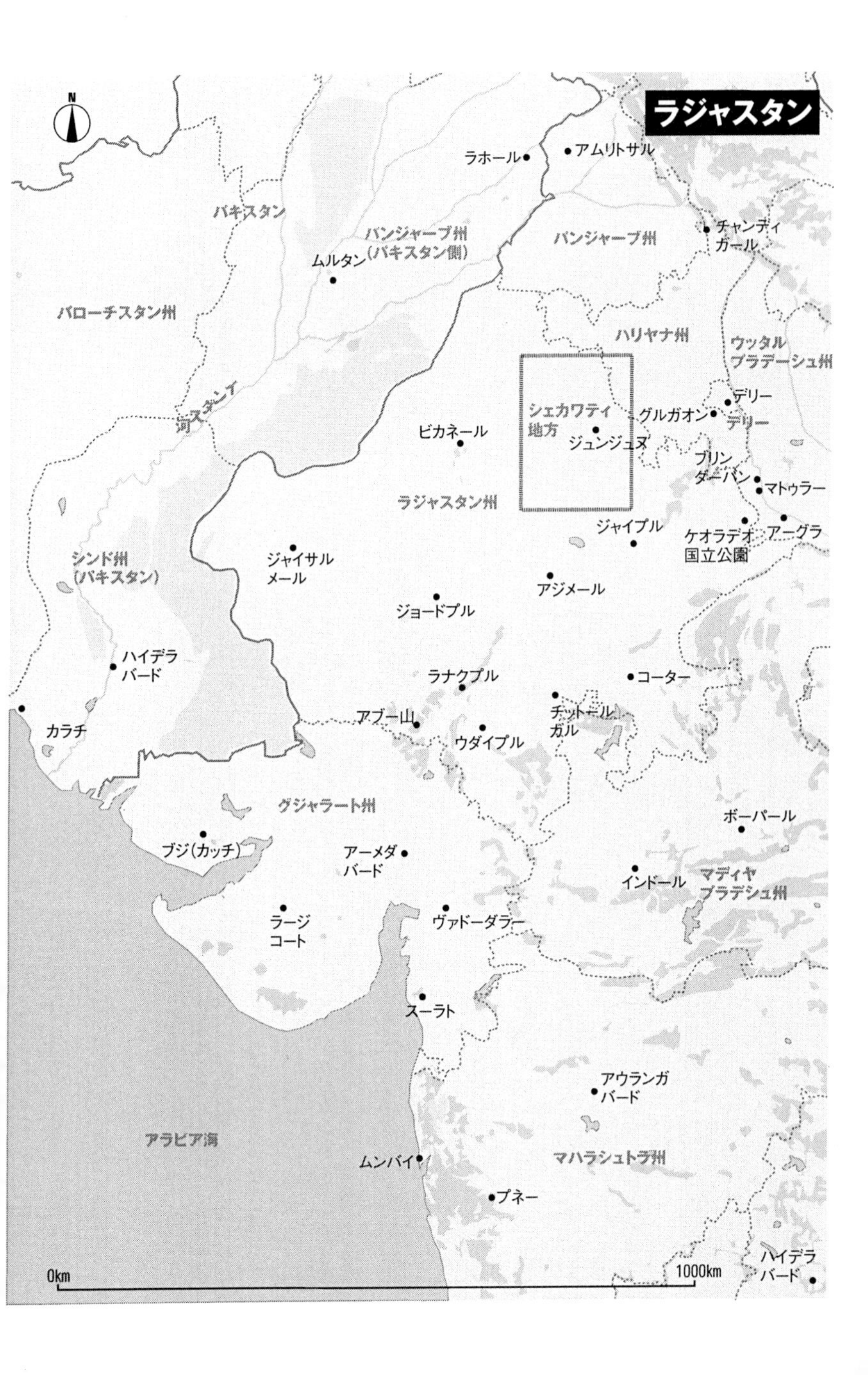
ラジャスタン
N
ラホール
アムリトサル
パキスタン
パンジャーブ州
(パキスタン側)
パンジャーブ州
チャンディガール
ムルタン
バローチスタン州
ハリヤナ州
ウッタル
プラデーシュ州
インダス河
シェカワティ地方
ジュンジュヌ
デリー
グルガオン
デリー
ビカネール
ブリンダーバン
マトゥラー
ラジャスタン州
ジャイプル
ケオラデオ国立公園
アーグラ
シンド州
(パキスタン)
ジャイサルメール
アジメール
ジョードプル
ハイデラバード
ラナクプル
コーター
カラチ
アブー山
ウダイプル
チットールガル
グジャラート州
ボーパール
ブジ(カッチ)
アーメダバード
インドール
マディヤプラデシュ州
ラージコート
ヴァドーダラー
スーラト
アウランガバード
アラビア海
ムンバイ
マハラシュトラ州
プネー
ハイデラバード
0km
1000km

Introduction

極彩壁絵と特異な慣習

乾燥地帯のラジャスタンで
古くから描かれてきた外壁の絵
シェカワティにはまとまった壁絵が残る

シェカワティとは

シェカワティとは「シェカの末裔の土地(シェカの庭＝ガーデン・オブ・シェカ)」を意味し、この地に移住してきたジャイプルのカチャワーハ氏族のラオ・シェーカ(1433〜1488年)の子孫たちが暮らしてきた。ラジャスタン州北部に広がり、シカール郡、ジュンジュヌ郡、チュルー郡、ナガウル郡といった行政単位からなり、各地に中規模の街が点在する。ちょうどデリー、ジャイプル、ビカネールのはざまに位置することから、交易ルートにあたり、またこれらの強大な勢力の折衝地帯となってきた(ジャイプル藩王国とビカネール藩王国にまたがり、領地争いの場だった)。15世紀以降、シェカワティの地の利を活かしてマールワーリー商人たちが活躍し、この地方の領主や商人の邸宅ハーヴェリーは鮮やかな壁絵で彩られた。また強い血縁関係で結ばれたマールワーリー商人、この地で起こる寡婦殉死サティーは、ラージプートの伝統、封建的なシェカワティの風土と関係するという。チュルー東部、ジュンジュヌ、シカール、またシェカワティに隣接するハリヤナ州の一部では、方言のシェカワティ語が話されている。

シェカワティの歴史

1192年、ラージプート諸族の割拠する北インドにイスラム勢力が侵入して、デリーを中心とするイスラム王朝が樹立され、それはムガル帝国(1526～1858年)時代まで続いた。そして、1450年にイスラム教徒の集団がシェカワティ地方に移住してきて、ジュンジュヌやファテープルに地方領主ナワブを中心とするイスラム社会をつくった。その後、ジャイプルのカチャワーハ氏族ラオ・シェーカ(1433～1488年)がこの地方に移住してきて、その子孫は各地にいくつもの地方領主国家を築いていった。シェカワティはアクバル帝(1556～1605年)時代にムガル帝国領となったが、帝国の力が衰えた18世紀にイスラム領主は駆逐され、ラオ・シェーカを共通の祖先とするシカールのシヴ・シン(在位1721～48年)とジュンジュヌのシャルドゥール・シン(在位1721～42年)が有力となった(また1732年、隣国のジョードプルに対抗するために、シェカワティの領主国群はジャイプルの属国となることを決めている)。これらシェカワティ・ラージプートの地方領主群は、互いが互いを牽制し、血縁をもとにした連邦状態となっていて、それぞれの支配拠点に城砦が築かれていった。シェカワティ地方は、デリーとグジャラート(海)、中東や中央アジアを結ぶ中長距離交易の街道上にあり、各領主は有力な商人を自らの街に呼び込むことで経済発展を進めた。また血縁関係で結ばれたシェカワティ氏族による連邦状態は、安全な交易路を担保したという。1818年、協定が結ばれてラジャスタンがイギリスの保護国となると、シェカワティの商人たちは新天地を求めて、イギリスの本拠地コルカタに移住した。これがマールワーリー商人のはじまりで、成功したマールワーリー商人は己の名声を故郷に示すためにシェカワティ地方にハーヴェリーを築いていった。その後、資本を集積していったマールワーリー商人はデリーやムンバイなどの大都市に移住し、ビルラ財閥をはじめとしてインドを代表する財閥のいくつかがシェカワティ出身のマールワーリー商人を出自とする。

マールワーリー商人の故郷

マールワーリー商人は、「マールワール(ジョードプル一帯の砂漠地帯をさす)」地方出身の商人という意味で、ラジャスタン出身の商人がこう呼ばれた。シェカワティ地方を通る貿易ルートが変更されるたびに、商人は拠点とする街を遷し、その豪華な邸宅を残していった。そのためシェカワティ地方では、各地に同じ名前の商人の邸宅が見られる。18世紀以降、イギリス植民地下のムンバイやコルカタが発展するなか、マールワーリー商人たちはこれらの都市へ移住して商業的に成功し、社会的地位を上昇させていった(19世紀後半にはコルカタでの地位を確固たるものとし、1860年のデリー〜コルカタ間、1916年以降のシェカワティ地方の鉄道開通がそれを後押しした)。彼らは出稼ぎ先でも自らの服装や言葉を保持し、ひとりが成功すれば無料宿泊所を設立して一族を呼び寄せるなど、強い血縁関係で結ばれていた。そして成功した富で故郷に、学校、病院、井戸を寄進し、立派な邸宅を建て、鮮やかな装飾をほどこしていった。マールワーリー商人は当初、綿花やアヘンなど商品作物をあつかっていたが、やがて資本を集積させ、インドを代表する産業資本家へと成長をとげた。ビルラ財閥をはじめインドの財閥の多くがマールワーリー商人を出自とし、ガンジーの国民会議派を財政的に支援したことでも知られている。こうした商人たちは、今は故郷シェカワティの家から離れて大都市に暮らし、地元の人にハーヴェリーの管理をまかせている例が多い。

美しき屋外美術館

荒漠とした乾燥地帯の続くラジャスタンでは、古くから建物の壁に絵が描かれてきた。19世紀以降、財をなしたマールワーリー商人たちは自らの邸宅であり、ビジネス拠点でもあるハーヴェリーを競うように装飾し、シェカワティ地方の装飾ハーヴェリー群のほとんどは1830年～1930年に造営された。フレスコの壁絵は、イタリア、ドイツ、スイス、オーストリアなどで受け継がれてきた壁絵の影響を受けて成立したという（マールワーリー商人はシルクロードの街道をおさえていたことから、ヨーロッパの事情にも通じ、西欧風のフレスコ画の様式がもたらされた）。壁に漆喰を塗って、そのうえにサフラン、インディゴ、煤、チョークといった天然顔料を使い、赤や青、黒、白といった色に仕上げていき、1890年代になるとヨーロッパの人工顔料がもたらされたという。マールワーリー商人の多くがヴィシュヌ派に帰依していることから、ラーマ神やクリシュナ神の神話が描かれ、また出稼ぎ先のイギリス植民都市を彷彿とさせる、鉄道、自動車、飛行機、自転車、蓄音機、蒸気船や文明の利器などの題材を特徴とする。そのほかには剣をもったラージプート男性、象や馬などの動物、植物、国民会議派の人物肖像、舞踏、西洋の文物や風俗など、憧れや人びとの思いが具現化された（富や身分を、壁画が反映している）。絵画技法は、単純化した平面的な表現、原色をもちいた色彩が特徴で、1900年ごろを境に土着の伝統を保持するものから、印刷複製画と模倣画に変化していったという。1930年代後半になると、マールワーリーは故郷シェカワティでハーヴェリーをつくらなくなり、ムンバイやコルカタなどの都市へ移住していった。

中庭を中心に四方を建物がとり囲む

あざやかな服を着せた人形

上部のトーラナにもびっしりと装飾がほどこされている

モニュメント的意味も果たしたシェカワティの井戸

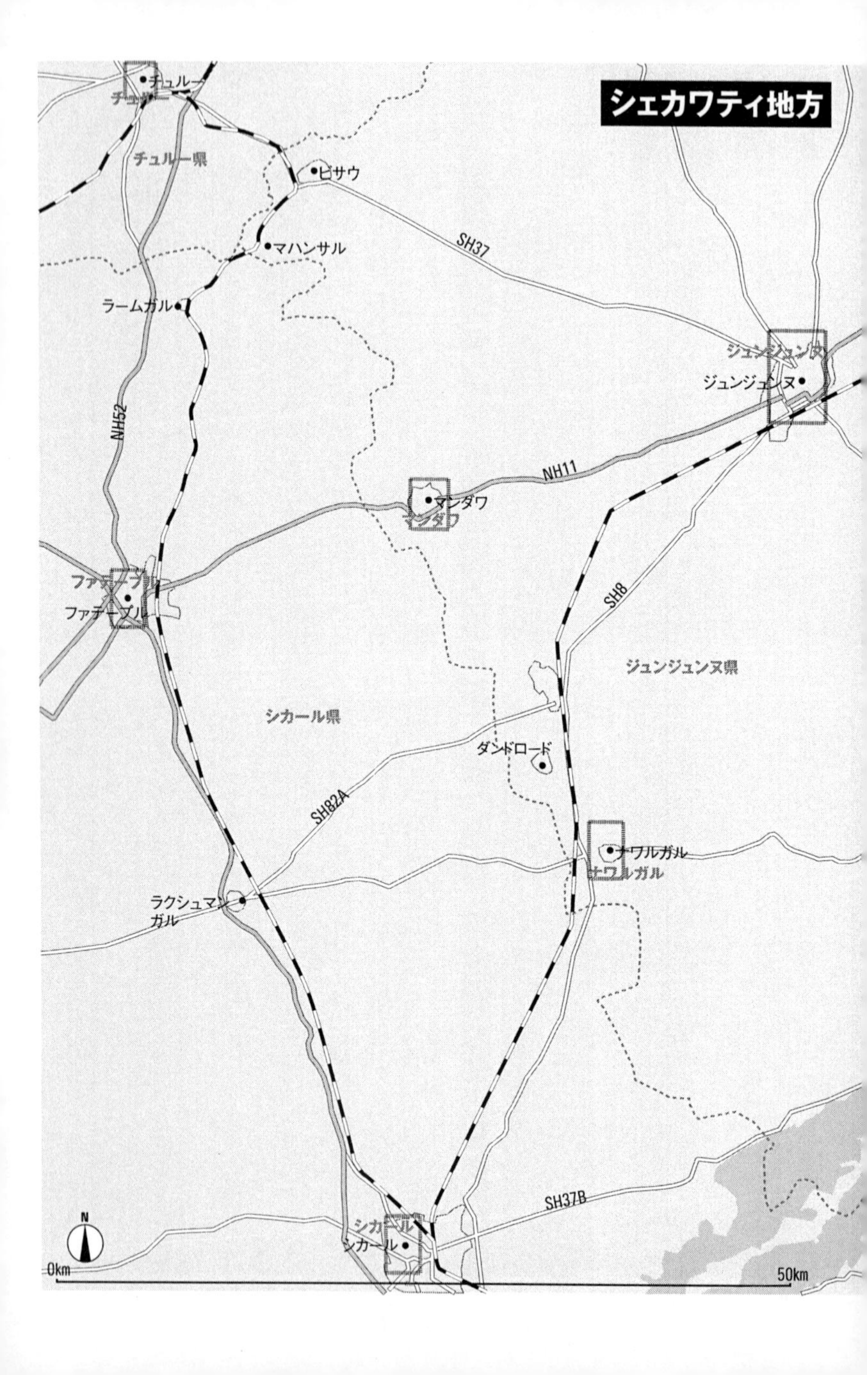
シェカワティ地方
チュルー
チュルー県
ビサウ
SH37
マハンサル
ラームガル
ジュンジュンヌ
NH52
NH11
マンダワ
ファテープル
SH8
ジュンジュンヌ県
シカール県
ダンドロード
SH82A
ナワルガル
ラクシュマンガル
SH37B
N
シカール
0km
50km

★★★
マンダワ *Mandawa*
ファテープル *Fatehpur*
ジュンジュヌ *Jhunjhunu*

★★☆
ナワルガル *Nawalgarh*

★☆☆
ダンドロード *Dundlod*
シカール *Sikar*
チュルー *Churu*
ラームガル *Ramgarh*
ビサウ *Bissau*
マハンサル *Mahansar*
ラクシュマンガル *Laxmangarh*

Mandawa

マンダワ城市案内

シェカワティ各地への
足がかりとなるマンダワ
美しいハーヴェリー群が残る

マンダワ★★★

Mandawa／ⓗ मंडावा　ⓤ [illegible]

マンダワは、1760年、ジャイプル王族ラオ・シェーカ（1433～1488年）の子孫タクル・ナワル・シン（在位1742～79年）によって築かれたことをはじまりとする。当時のシェカワティ地方は、ジュンジュヌを拠点とするサルドゥル・シン（在位1721～42年）が有力で、マンダワやナワルガルを建設したナワル・シンはその子であった（イスラム領主に替わったシェカワティ・ラージプートのサルドゥル・シンは、一族に各地の領地をあたえて連邦状態をつくった）。ここでマンドゥ・ジャートの農民が井戸を掘り、小さな集落がつくられたことから、最初は「マンドゥ・キ・ダニ（マンドゥの村）」と呼ばれていた。その後、村名は「マンドゥ・カ・バス」に変わり、やがてマンダワという名前が定着した。シェカワティ地方の中心部に位置し、中国や中東を往来する隊商のルート上にあることから、ナワル・シンの孫パダム・シンとギャン・シンがナワルガルから移って、領主のラージプート氏族が街の中心に居住した。そして、その周囲にゴエンカ家やハルラル家といった貿易商人が拠点を構え、商業や関税で街はにぎわいを見せた（かつては城壁で囲まれていた）。やがて交易ルートが変遷し、イギリスの植民都市が発展する19世紀にはマンダワの商人は大都市へ移住して出稼ぎの地で富を築い

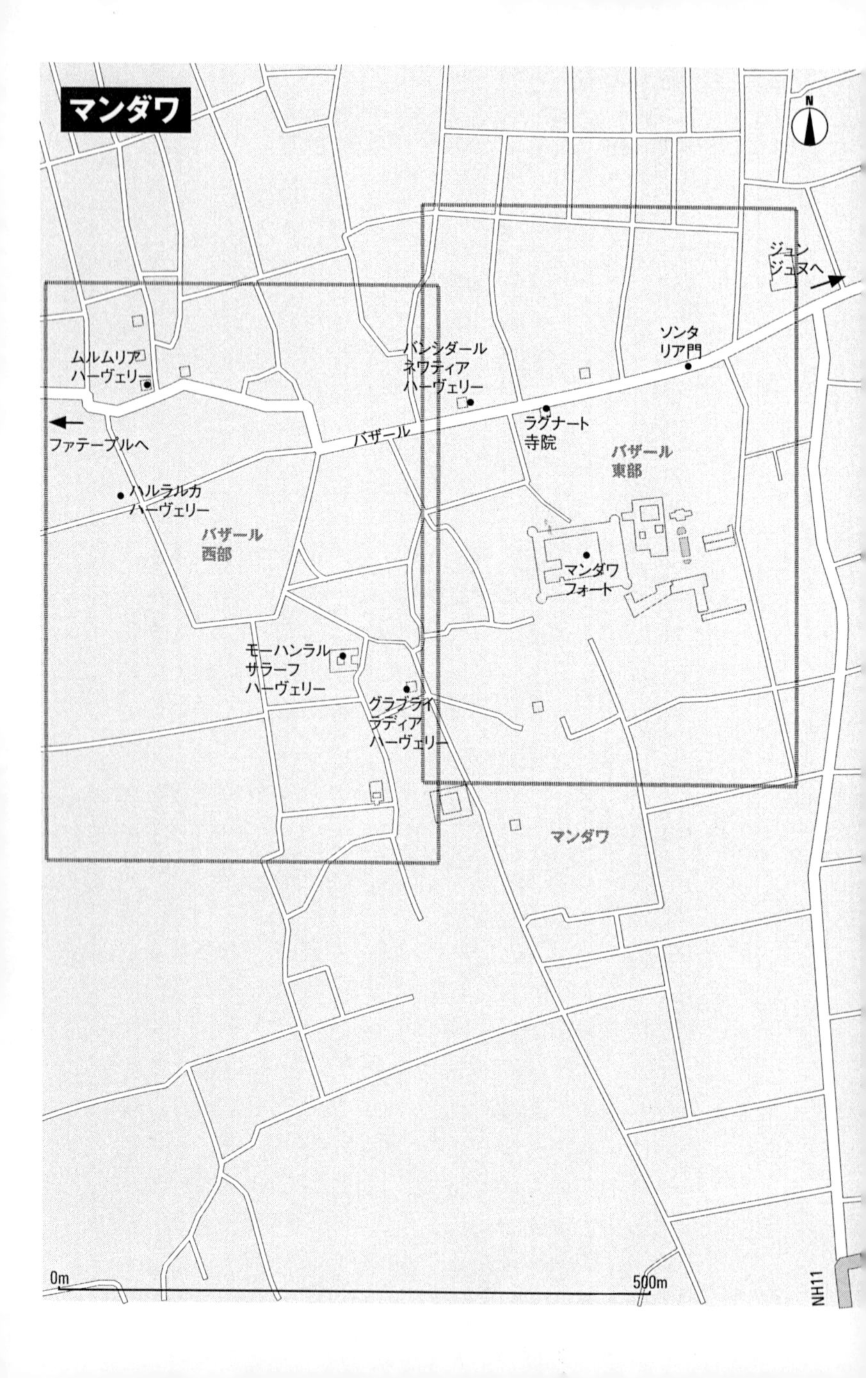

マンダワ
N
ジュン
ジュヌへ
ソンタ
リア門
バンシダール
ネワティア
ハーヴェリー
ムルムリア
ハーヴェリー
ファテープルへ
バザール
ラグナート
寺院
バザール
東部
ハルラルカ
ハーヴェリー
バザール
西部
マンダワ
フォート
モーハンラル
サラーフ
ハーヴェリー
グラブライ
ラディア
ハーヴェリー
マンダワ
0m
500m
NH11

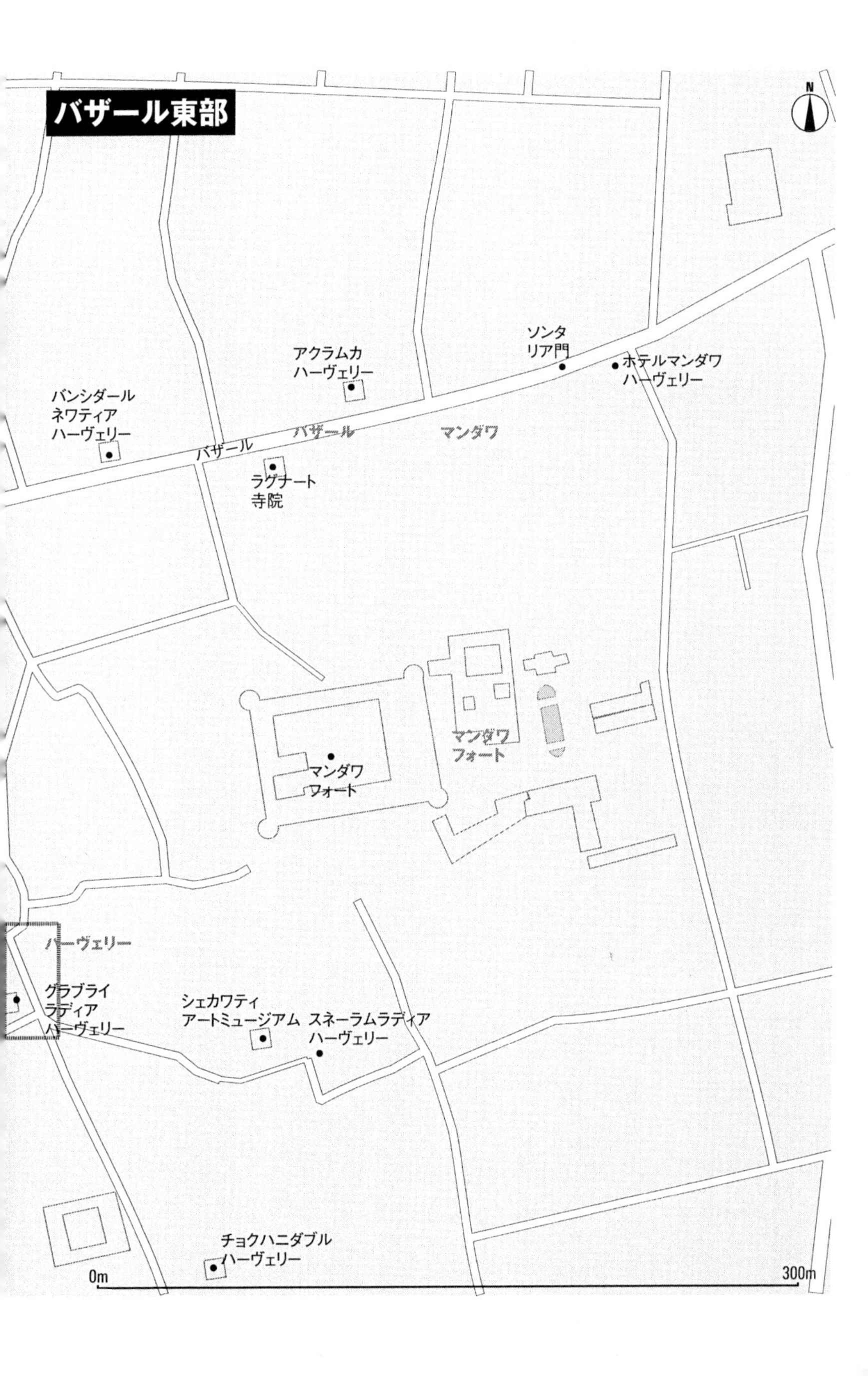
バザール東部
N
ソンタ
リア門
ホテルマンダワ
ハーヴェリー
アクラムカ
ハーヴェリー
バンシダール
ネワティア
ハーヴェリー
バザール
バザール
マンダワ
ラグナート
寺院
マンダワ
フォート
マンダワ
フォート
ハーヴェリー
グラブライ
ラディア
ハーヴェリー
シェカワティ
アートミュージアム
スネーラムラディア
ハーヴェリー
チョクハニダブル
ハーヴェリー
0m
300m

ていった。彼らはその富や成功を故郷に示すように、マンダワに邸宅ハーヴェリーを建て、インド神話や都市の様子、イギリス版画の模倣など、鮮やかなフレスコ画(壁絵)で彩っていった。マンダワには19〜20世紀の美しいハーヴェリー群が今でも残り、東24kmのジュンジュヌと西20kmのファテープルとともにシェカワティを代表する観光地となっている。

マンダワのハーヴェリー

中庭をもつ豪華な邸宅ハーヴェリーは、ムガル帝国(1526〜1857年)の成立とともに西方からもたらされ、北西インドで広く見られるようになった。ラジャスタンではピンク色に塗られたジャイプルのハーヴェリー、精緻な彫刻がほどこされた黄砂岩ジャイサルメールのハーヴェリーなど、特徴あるハーヴェリーが各地に残り、シェカワティでは室内外をいろどる彩色された「壁画(フレスコ画)」を特徴とする。壁面にはヒンドゥー教の神々やラージプート男性、象や馬が描かれていて、神々のなかでクリシュナ神が多く見られるのは、シェカワティ地方にクリ

★★★
マンダワ *Mandawa*

★★☆
バザール *Bazar*
モハン・ラル・サラーフ・ハーヴェリー *Mohan Lal Saraf Haveli*
グラブ・ライ・ラディア・ハーヴェリー *Gulab Rai Ladia Haveli*

★☆☆
マンダワ・フォート *Mandawa Fort*
ソンタリア門 *Sonthalia Gate*
アクラムカ・ハーヴェリー *Akhramka Haveli*
ホテル・マンダワ・ハーヴェリー *Hotel Mandawa Haveli*
ラグナート寺院 *Raghunath Mandir*
バンシダール・ネワティア・ハーヴェリー *Bansidhar Newatia Haveli*
スネー・ラム・ラディア・ハーヴェリー *Sneh Ram Ladia Haveli*
チョクハニ・ダブル・ハーヴェリー *Chokhani Double Haveli*
ムルムリア・ハーヴェリー *Murmuria Haveli*
ハルラル・カ・ハーヴェリー *Harlalka Haveli*

シェカワティでは外壁をフレスコ画で埋め尽くしていった

前後ふたつの中庭が連続するハーヴェリー

隅の垂れさがった屋根はベンガル地方から伝わった

マンダワの領主が暮らしたフォート

ハーヴェリー

マンダワのグラブ・ライ・ラディア・ハーヴェリー。
『Rajasthan : the painted walls of Shekhavati』
（Francis Wacziarg・Aman Nath/Croom Helm）をもとに作成

バザールへ
マンダワ
牛小屋
バイタク
グラブライ
ラディア
ハーヴェリー
入口
台所
バス
ルーム
前の中庭
（チョウク）
奥の中庭
（チョウク）
グラブライ
ラディア
ハーヴェリー
バイタク
寝室
台所
寝室

0m
300m

シュナ信仰ヴァッラバ派の人びとが多く暮らしていることと関係する。マンダワには保存状態のよいハーヴェリーがいくつも残り、1940年ごろに活躍した地元の画家バル・ラーマによる壁画が名高い。こうした壁画を描く人たちは陶工カーストに属し、絵を描くことと建築(大工)の両方を行なって、石工とも呼ばれている。

ハーヴェリーの構成

ハーヴェリーとは「囲まれた場所」を意味し、シェカワティ地方のハーヴェリーは3～5階建てで、玄関に近い「前の中庭(バイタク)」と、家族の暮らす「奥の中庭」という前後ふたつの中庭が連なる様式をもつ(正面入口を抜けた先の「前の中庭」の横にバイタクと呼ばれる応接間がもうけられている)。「前の中庭(バイタク)」で客人をもてなしたほか、ここは商談や会計処理などが行われる執務空間でもあり、インド中に進出したマールワーリー商人を結ぶ会社の本部機能の役割も果たしていた。各地からあげられた売上、利益や情報はシェカワティのバイタクへ集められ、バイタクから各地へ、人材の派遣や投資が行なわれたという。一方で、「奥の中庭」はラジャスタンの伝統的な女性隔離から、女性や家族の暮らす私的な空間となっていた。飲料水をくむための井戸や炊事場、洗濯を洗って干す場所、子どもたちの遊び場など複数の性格をもち、ここで血のつながった大家族が暮らした。シェカワティでは、5階建て、1000の窓をもつ邸宅もあり、窓を開ける専門の使用人がいて、朝から窓を開けはじめ、最後の窓を開けたときには日が暮れていたという逸話も残る。

★★★
マンダワ *Mandawa*

★★☆
グラブ・ライ・ラディア・ハーヴェリー *Gulab Rai Ladia Haveli*

マンダワ・フォート ★☆☆

Mandawa Fort　Ⓗमंडावा किला／Ⓤمنڈاوا قلعہ

1755年にタクル・ナワル・シン（在位1742〜79年）によって建てられた城砦を前身とするマンダワ・フォート。このマンダワ地方領主の邸宅は、街の中心の小高い丘陵にそびえ、ラージプート城砦を思わせる堂々とした門、バングラ屋根、中世の砲台の塔、バルコニー、鏡細工、壁画などが見られる。マンダワ・フォートは1800年ごろ、ナワルガルから移住してきた2人のタクルと、ナワル・シンの子孫のあいだで分割され、現在でもマンダワを統治したシェカワティ・ラージプートの末裔が暮らしている。1978年に城砦はホテルに改装され、現在はホテル・キャッスル・マンダワとして開館している。

バザール ★★☆

Bazar　Ⓗबाज़ार／Ⓤبازار

東24kmのジュンジュヌと、西20kmのファテープルを結ぶように東西に伸びるマンダワのバザール。マンダワ領主が暮らしたフォート前を走り、通りの両脇にはシェカワティ地方特有のハーヴェリーがならぶ。現在のマンダワの街は、このバザールを中心につくられていて、食料品や工芸品、日常品を売る店舗がならび、レストランやホテルも集まる。またゴエンカ家やハルラル家の壮麗なハーヴェリーやチャトリ（墓廟）がバザールの西側に位置する（かつてのマンダワは、周囲に城壁をめぐらせていたが、現在はそれらは撤去された。バザールに立つソンタリア門は後世に建てられたもの）。

ソンタリア門 ★☆☆

Sonthalia Gate／Ⓗसोंथलिया गेट／Ⓤسنتھلیا گیٹ

マンダワの東門にあたり、バザールをまたいで覆いかぶさるように立つソンタリア門。1930年代にソンタリア家によって建てられたもので、アーチ型門の上部に、装飾のほどこされたバルコニーをもった邸宅が載る（この門はもともとマンダワの城壁に配置されていた門ではなく、20世紀になって新しく建てられたもの）。

アクラムカ・ハーヴェリー ★☆☆
Akhramka Haveli／Ⓗअखामका हवेली／Ⓤاکرامکا حویلی

1880年ごろ建てられた、マンダワ・バザールに面するアクラムカ・ハーヴェリー。狩猟、民話のほか、ラージプートのタクル（領主）が、イギリス人将校に会う様子を描いた絵も見られる。

ホテル・マンダワ・ハーヴェリー ★☆☆
Hotel Mandawa Haveli　Ⓗहोटल मंडावा हवेली／Ⓤہوٹل منڈاوا حویلی

18世紀、マールワーリーの宝石商が家族のために建てた邸宅を前身とするホテル・マンダワ・ハーヴェリー。邸宅を改装して、1999年にホテルとして開館し、地元シェカワティの職人による豪華な部屋で知られる。マンダワのバザール東部に立つ。

ラグナート寺院 ★☆☆
Raghunath Mandir／Ⓗरघुनाथ मंदिर／Ⓤرگھوناتھ مندر

フォートの入口付近に立つヴィシュヌ派のラグナート寺院。ヴィシュヌ神の化身であるラグナート神がまつられていて、壁や天井にフレスコ画が描かれている。18世紀に建てられた。

バンシダール・ネワティア・ハーヴェリー ★☆☆
Bansidhar Newatia Haveli　Ⓗबंसीधर नेवतिया हवेली／Ⓤبانسیدھار نیوتیا حویلی

バザール中心部の北側に立つバンシダール・ネワティア・ハーヴェリー。1915年ごろに建てられた、このハーヴェリーの東側の壁にはさまざまな壁画が残る。馬や象といった動物のほか、飛行機、自転車、車に乗った女性、電話をかけている少年の壁画も見える。

モハン・ラル・サラーフ・ハーヴェリー ★★☆
Mohan Lal Saraf Haveli／㋪मोहन लाल सराफ हवेली ㋒موہن لال صراف حویلی

2階建て、中庭をもつ、マンダワを代表する邸宅のモハン・ラル・サラーフ・ハーヴェリー。この邸宅の主モハン・ラル・サラーフはマールワーリー商人で、1870年に建てられた（建物が建てられた後、壁面に絵が描かれた）。壁面や窓枠に見事な壁画が描かれているほか、屋上から街を一望できる。

グラブ・ライ・ラディア・ハーヴェリー ★★☆
Gulab Rai Ladia Haveli／㋪गुलाब राय लादिया हवेली ㋒گلاب رائے لادیہ حویلی

品格ある3階建て住宅のグラブ・ライ・ラディア・ハーヴェリー。商人グラブ・ライの邸宅で、1870年ごろ建てられ、その後、1890年ごろに壁画が描かれた。アーチをもつ門や腕木に支えられた上階、窓枠などはラジャスタンの伝統建築で、内装のミラー・ワーク、外壁に描かれていたエロティックな絵も特徴とする。前庭の南側にあるバイタクには、グラブ・ライ・ラディアの肖像画が飾られている。

スネー・ラム・ラディア・ハーヴェリー ★☆☆
Sneh Ram Ladia Haveli／㋪स्नेह राम लादिया हवेली／㋒سنیہ رام لاڈیا حویلی

1906年に建てられたスネー・ラム・ラディア・ハーヴェリー。中庭には美しい壁画が描かれ、柱とイワン状のアーチがリズムをつくる（ガネーシャ神、人物画などが見られる）。前庭のバイタクに飾られた絵は、1940年に地元の画家バル・ラーマによる。

チョクハニ・ダブル・ハーヴェリー ★☆☆
Chokhani Double Haveli／㋪चोखानी डबल हवेली ㋒چوکھانی ڈبل حویلی

ふたつのハーヴェリーが連続することから名づけられ

ネワティア・ハーヴェリー、象、ラクダ、馬のほか自動車も見える

バザールにおおいかぶさるように立つソンタリア門

マールワーリー商人の財がそそぎこまれた

ゴールデン・ペインティッド・ルーム

たチョクハニ・ダブル・ハーヴェリー。1910年に建てられ、ふたりの兄弟がそれぞれの邸宅に暮らしていた。象の絵が描かれた扉をもつ。

タクルジー寺院 ★☆☆

Thakurji Mandir／Ⓗ ठाकुरजी मंदिर　Ⓤ ٹھاکرجی مندر

クリシュナ神の化身タクルジーをまつるヴィシュヌ派のタクルジー寺院。マンダワに拠点をおいた商人ゴエンカによるもので、1860年ごろ建てられた。1857～58年のインド大反乱の様子が描かれた壁画も見られる。

ムルムリア・ハーヴェリー ★☆☆

Murmuria Haveli／Ⓗ मुरमुरिया हवेली／Ⓤ مرمریہ حویلی

バザール西のゴエンカ・チョウクに残る20世紀初頭創建のムルムリア・ハーヴェリー。ほかのハーヴェリーと異なる特徴は、イタリア風の壁画がならぶところで、ヴェネチアや車、馬に乗ったネルー、ガンジーとジョージ5世、ラヴィ・ヴァルマの絵の模写などが見える。

ゴエンカ・ダブル・ハーヴェリー ★☆☆

Goenka Double Haveli／Ⓗ गोयनका डबल हवेली／Ⓤ گوینکا ڈبل حویلی

南側のヴィシュワナート・ゴエンカ・ハーヴェリーと、北側のタルケシュ・ゴエンカ・ハーヴェリーからなるゴエンカ・ダブル・ハーヴェリー。商人ゴエンカ一族によるハーヴェリーで、1890年ごろに建てられた。このハーヴェリーが建てられたころ、マールワール商人はコルカタに進出して財をなし、その富を故郷のマンダワに投資していた。ふたつのハーヴェリーは、前庭を共有している。

ゴエンカ・カ・チャトリ ★★☆

Goenka Ka Chhatri　Ⓗ गोयनका का छतरी　Ⓤ گوینکا کا چھتری

ゴエンカ・カ・チャトリは、1855年、ハルナンド・ライ・ゴ

宮殿のようなたたずまいの井戸

鮮やかな原色がもちいられた象の絵

バザール西部
ゴエンカダブル
ハーヴェリー
ムルムリア
ハーヴェリー
ゴエンカ
チョウタ
タクルジー
寺院
マンダワ
フォートへ
バザール
バザール
ゴエンカ
カチャトリ
ハルラルカ
ハーヴェリー
ファテープルへ
ハルラル
カウェル
ハルラル
カチャトリ
マンダワ
モーハンラル
サラーフ
ハーヴェリー
グラブライ
ラディア
ハーヴェリー
0m
300m
N

エンカによって建てられた。ゴエンカ家の墓廟で、基壇のうえに宮殿様式の建築が立ち、中央に並立するドームを載せる。中央に階段が伸びる様式は、ハルラル・カ・チャトリと共通する。

ハルラル・カ・ハーヴェリー ★☆☆

Harlal Ka Haveli ㋪हरलाल का हवेली／㋒ہرلال کا حویلی

マンダワの有力商人ハルラル家の2階建ての邸宅ハルラル・カ・ハーヴェリー。フレスコ画や金細工で彩られ、『ラーマーヤナ』の描かれた壁画が残り、現在はホテルとして開館している。近くのハルラル・カ・ウェルやハルラル・チャトリも同家によるもの。

ハルラル・カ・ウェル ★☆☆

Harlal Ka Well／㋪हरलाल का वेल ㋒ہرلال کا باوری

商人ハルラル家によって1850年ごろ開削されたハルラル・カ・ウェル(井戸)。ドームを載せる4本のミナレットが立ち、ドームのなかには壁画が描かれている。渇いた環境のラジャスタンでは、人びとの生活に必要な水をとる井戸は、重要な意味をもってきた(故郷にハーヴェリーを建てることと同様に井戸を掘ることがマールワーリー商人にとっての名声につながった)。

★★★
マンダワ *Mandawa*

★★☆
バザール *Bazar*
モハン・ラル・サラーフ・ハーヴェリー *Mohan Lal Saraf Haveli*
グラブ・ライ・ラディア・ハーヴェリー *Gulab Rai Ladia Haveli*
ゴエンカ・カ・チャトリ *Goenka Ka Chhatri*
ハルラル・カ・チャトリ *Harlal Ka Chhatri*

★☆☆
タクルジー寺院 *Thakurji Mandir*
ムルムリア・ハーヴェリー *Murmuria Haveli*
ゴエンカ・ダブル・ハーヴェリー *Goenka Double Haveli*
ハルラル・カ・ハーヴェリー *Harlalka Haveli*
ハルラル・カ・ウェル *Harlal Ka Well*

ハルラル・カ・チャトリ ★★☆

Harlal Ka Chhatri／Ⓗहरलाल का छतरी／Ⓤہرلال کا چھتری

マンダワを代表するハルラル家の墓廟が残るハルラル・カ・チャトリ。バグワン・ダス・ハルラルによって1850年ごろ建てられた。高い基壇のうえに、美しいドームを並立させるチャトリが立ち、その中央に向かって階段が伸びている（また周囲四方には、それより小さいチャトリが載る）。この美しいたたずまいは、ムガル建築の影響を受けたラジャスタン様式によるもの。

मालीयनकामर
वीससतातीज़ता।।१।।

Fatehpur

ファテープル城市案内

「勝利の街」を意味するファテープル
イスラムとラージプート
領主を替えてきた街でもある

ファテープル ★★★

Fatehpur ㋪ फतेहपुर ㋒ فتحپور

デリー・サルタナット朝時代の1451年、イスラム太守のカイムカーニ・ナワブ・ファテー・ハンによってつくられたファテープル（「ファテー」とはイスラム教徒の言葉で「勝利」をさし、「勝利の都」を意味する）。集落のあったこの地にフォートが築かれて、デリーを都とするイスラム勢力の統治拠点となった。16世紀、ファテープル領主の金庫番だったアグラワール・カーストの商人ポッダルは、この街からチュルー、ラームガルと拠点を遷していったが、その移動が街の盛衰を決めるほど力をもったという。その後、シカールの王がこの街を占領し、シヴ・シンが1731年に最後の太守であるサルダール・ハンを駆逐して、ヒンドゥー教徒シェカワティ・ラージプートの街になった。時代は変わっても引き続き、ファテープルの商人は力をもち、結婚式では12万5千ルピーの金が使われ、2000人、5頭の象、800頭のラクダ、馬車、馬のバギーが出るほどだったという。城壁はなくなり、古い門も残っていないが、ナワブ時代の遺構も見られ、シェカワティ地方有数の歴史をもつことから、「シェカワティの文化的首都」として知られてきた。インドには他にも同名の街があることから、ファテープル・シェカワティとも呼ぶ。

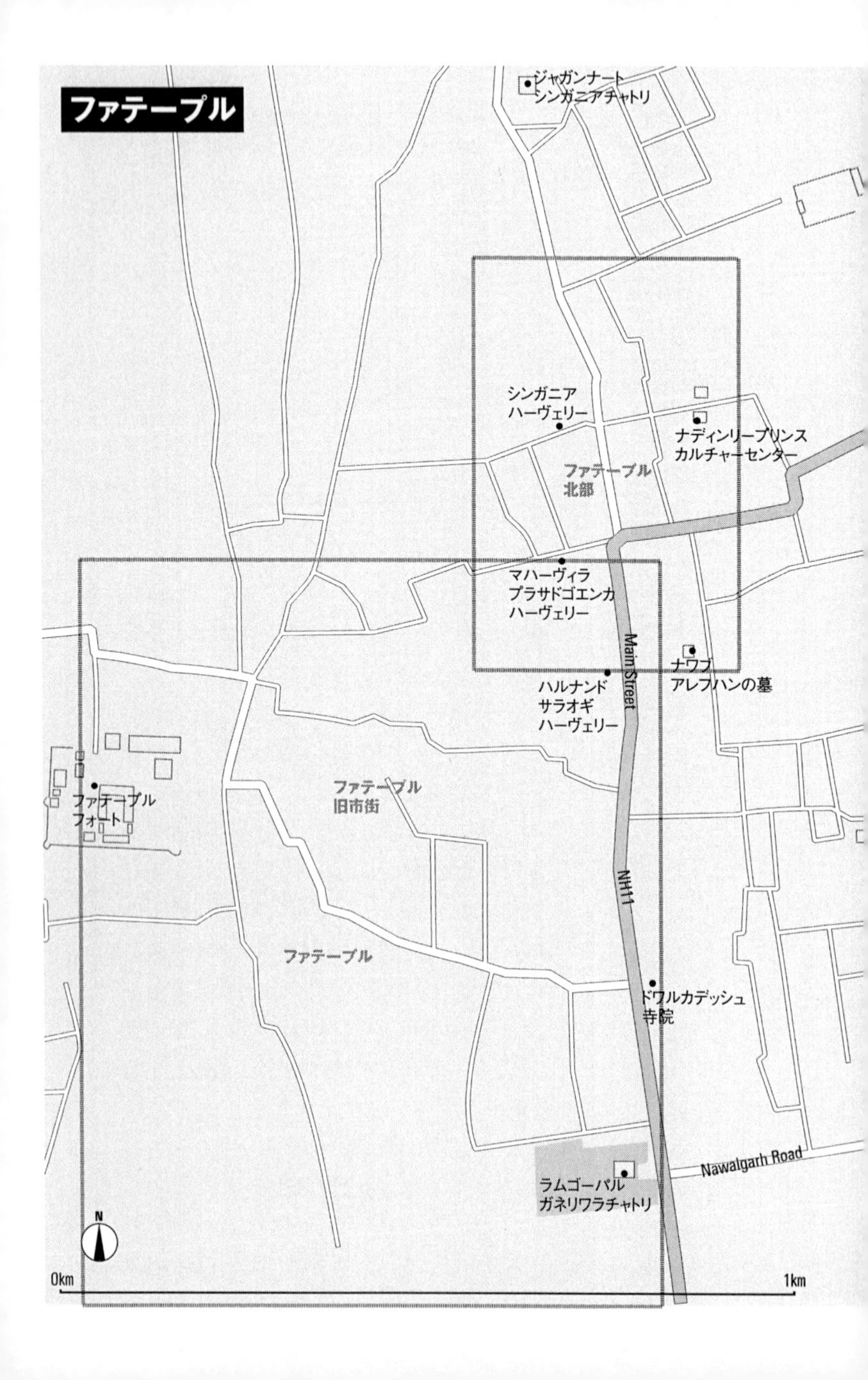

ファテープル
ジャガンナート
シンガニアチャトリ
シンガニア
ハーヴェリー
ナディンリープリンス
カルチャーセンター
ファテープル
北部
マハーヴィラ
プラサドゴエンカ
ハーヴェリー
Main Street
ナワブ
アレフハンの墓
ハルナンド
サラオギ
ハーヴェリー
ファテープル
旧市街
ファテープル
フォート
NH11
ファテープル
ドワルカデッシュ
寺院
Nawalgarh Road
ラムゴーパル
ガネリワラチャトリ
N
0km
1km

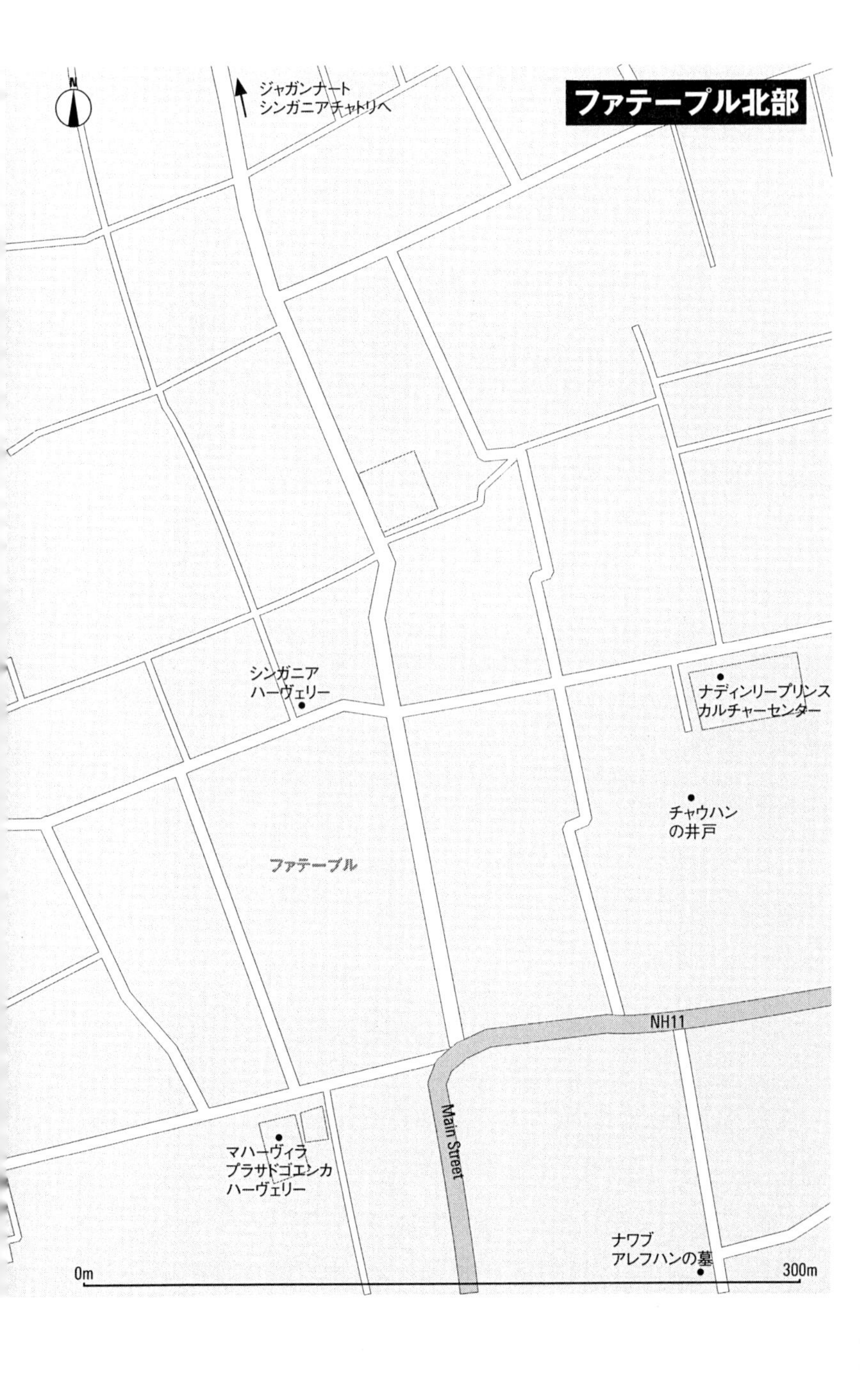
ファテープル北部
N
ジャガンナート
シンガニアチャトリへ
シンガニア
ハーヴェリー
ナディンリープリンス
カルチャーセンター
チャウハン
の井戸
ファテープル
NH11
Main Street
マハーヴィラ
プラサドゴエンカ
ハーヴェリー
ナワブ
アレフハンの墓
0m
300m

イスラム教徒のラージプート

1192年、タラインの戦いでラージプート連合軍は、イスラム勢力に破れ、デリーにイスラム王朝が樹立された。奴隷王朝(1206〜90年)をはじまりとするデリー・サルタナット朝からムガル帝国(1526〜1857年)まで続き、北インドにイスラム教が浸透していった。デリーから地理的に近いシェカワティ地方には、やがてラージプートのイスラム改宗者も出て、1451年、ヒンドゥー教徒から改宗したイスラム太守カイムカーニ・ナワブ・ファテー・ハンがファテープルを樹立した。ラージプートのイスラム教徒は、ほかのイスラム教徒と少し趣が異なり、「他のイスラム教徒とは食事をともにしない」「氏族間の結合を重視する」など、ヒンドゥー教やラージプートの伝統を残しているという。このファテープルで見られるイスラム教徒のラージプートを「カイムカーニ」と呼ぶ。

ナディンリー・プリンス・カルチャーセンター ★★☆
Nadine Le Prince Cultural Centre (Nand Lal Devra Haveli) ／
Ⓗ नादिन ली प्रिंस हवेली Ⓤ نادین لی پرنس ثقافتی مرکز

ファテープルを代表するハーヴェリーのナディン

★★★
ファテープル *Fatehpur*

★★☆
ナディンリー・プリンス・カルチャーセンター *Nadine Le Prince Cultural Centre (Nand Lal Devra Haveli)*
シンガニア・ハーヴェリー *Singhania Haveli*
ジャガンナート・シンガニア・チャトリ *Jagannath Singhania Chhatri*
ドワルカデッシュ寺院 *Dwarkadheesh Mandir*

★☆☆
チャウハンの井戸 *Chauhan Ka Well*
マハーヴィラ・プラサド・ゴエンカ・ハーヴェリー *Mahavir Prasad Goenka Haveli*
ハルナンド・サラオギ・ハーヴェリー *Harnand Saraogi Haveli*
ファテープル・フォート *Fatehpur Fort*
ラム・ゴーパル・ガネリワラ・チャトリ *Ram Gopal Ganeriwala Chhatri*
ナワブ・アレフ・ハンの墓 *Nawab Alif Khan Ka Maqbara*

ファテープルはシェカワティ地方の文化的古都

人びとの生活も垣間見られるナディンリー・プリンス・カルチャーセンター

イスラム太守時代につくられたチャウハンの井戸

贅沢な椅子、主がここに坐った

リー・プリンス・カルチャーセンター。マールワーリー商人がコルカタで莫大な富を築いていた時代の1885年に建てられたもので、かつてはナンド・ラル・デブラ・ハーヴェリーといった。外壁、建物内部ともにびっしりと装飾がほどこされ、前庭に商人のためのバイタクがあり、建物奥(後ろの庭)と上層階が私的な空間となっている。1999年にフランス人ナンディンによって、このハーヴェリーは、シェカワティ地方の伝統を伝えるナディンリー・プリンス・カルチャーセンターとなった。

チャウハンの井戸 ★☆☆

Chauhan Ka Well/Ⓗ चौहान का वेल/Ⓤ چوہان کا باؤلی

イスラム教徒のカイムカーニ・ナワブ統治時代に創建をさかのぼるチャウハンの井戸。1720年ごろに建てられ、ナディンリー・プリンス・カルチャーセンターの近くに位置する。ナワブにはチャウハン・ラージプート出身の妻がいて、水くみは女性の仕事であった(もうひとりのラートール・ラージプート女性用の井戸も近くに残る)。八角形のミナレットが立ち、ドームが載る。

人びとの生活を支える井戸

シェカワティ地方では、ペルシャ由来のつるべ式井戸が各地で見られる。これらの井戸は乾燥したこの地方の飲料用、農業用に整備され、成功した商人が故郷に寄進することも多かった。街を囲むように30近い井戸があることもめずらしくなく、シェカワティの井戸は4本の尖塔が立つなど、目印と井戸への信仰をかねた様式となっている。

シンガニア・ハーヴェリー ★★☆

Singhania Haveli　ⓗसिंघानिया हवेली　ⓤسنگھانیا حویلی

ファテープルを代表するハーヴェリーのシンガニア・ハーヴェリー。1855年、セト・ジャガンナート・シンガニアによって建てられた。赤、白、青を基調とした鮮やかな外壁をもち、馬や象に乗った人びと、富をつかさどるラクシュミー女神をはじめとするヒンドゥー神話の場面が描かれている。

マハーヴィラ・プラサド・ゴエンカ・ハーヴェリー ★☆☆

Mahavir Prasad Goenka Haveli　ⓗमहावीर प्रसाद् गोयनका हवेली／ⓤمہاویر پرساد گوئنکا حویلی

こぶりながら、美しいフレスコ画や花の絵で彩られたマハーヴィラ・プラサド・ゴエンカ・ハーヴェリー。左右対称の外観をもつこのハーヴェリーは1860年ごろに建てられ、中庭へ続くドアには彫刻がほどこされ、金属製のノブをもつ。象の絵、レスリングをする男性、民話や宗教画などが見える。

ジャガンナート・シンガニア・チャトリ ★★☆

Jagannath Singhania Chhatri　ⓗजगन्नाथ सिंघानिया छतरी
ⓤجگن ناتھ سنگھانیا چھتری

ファテープル市街ラームガル・ロードの脇に立つジャガンナート・シンガニア・チャトリ。1892年、ジャガンナート・シンガニアによって、彼の父グルラージを記念して建てられた。北側から街を守るようにたたずむ巨大な墓廟で、ドームを屋根に載せる建築は、ベンガル地方の様式がとり入れられている（マールワーリー商人が活躍したコルコタのあるベンガル地方と、ラジャスタン、ムガル建築の様式が融合している）。内部にはシヴァ・リンガと、それを守る蛇、ナンディンの像も見える。

ファテープル旧市街
ファテープル北部
マハーヴィラ
プラサドゴエンカ
ハーヴェリー
ハルナンド
サラオギ
ハーヴェリー
Main Street
ファテープル
旧市街
バワンティバリ
ハーヴェリー
ファテープル
フォート
ラムゴーパル
ガネリワラハーヴェリー
ドワルカデッシュ
寺院
シヴァプラタップ
ポッダルハーヴェリー
NH11
ファテープル
ラムゴーパル
ガネリワラチャトリ
0m
500m
N

ハルナンド・サラオギ・ハーヴェリー ★☆☆

Harnand Saraogi Haveli　㋪हरनंद सरावगी हवेली／㋒ہرنند سراوگی حویلی

　ファテープルの大通り沿いに立つハルナンド・サラオギ・ハーヴェリー。1850年に建設され、アーチ型の門のまわりに装飾がほどこされ、ひさしを支える腕木がリズムをつくっている。かつて鮮やかな色を見せたであろう壁画は色あせている。

ファテープル・フォート ★☆☆

Fatehpur Fort ／㋪फतेहपुर किला／㋒فتح پور قلعہ

　1451年にイスラム教徒のカイムカーニ・ナワブのファテー・ハンによって築かれたファテープル。ファテープル・フォートはこの地方領主が暮らす宮殿を前身とし、のちに建物が追加されていった。1731年に、シカールの王(ラジャ)がこの街を占領すると、古い城壁は破壊され、新たに外壁と堡塁が造営された。最初期のナワブの宮殿は、フォートの南東部にあったという。

バワン・ティバリ・ハーヴェリー ★☆☆

Bavan Tibari Haveli／㋪बावन तिबारी हवेली／㋒باون تباری حویلی

　入り組んだ旧市街のなかに位置するバワン・ティバリ・ハーヴェリー。1840年代にガネリワラ家によって建てられた邸宅で、ガネリワラ・ハーヴェリーとも呼ぶ。堂々と

★★★
ファテープル *Fatehpur*

★★☆
ドワルカデッシュ寺院 *Dwarkadheesh Mandir*

★☆☆
マハーヴィラ・プラサド・ゴエンカ・ハーヴェリー *Mahavir Prasad Goenka Haveli*
ハルナンド・サラオギ・ハーヴェリー *Harnand Saraogi Haveli*
ファテープル・フォート *Fatehpur Fort*
バワン・ティバリ・ハーヴェリー *Bavan Tibari Haveli*
ラム・ゴーパル・ガネリワラ・ハーヴェリー *Ram Gopal Ganeriwala Haveli*
シヴァ・プラタップ・ポッダル・ハーヴェリー *Shiv Pratap Poddar Haveli*
ラム・ゴーパル・ガネリワラ・チャトリ *Ram Gopal Ganeriwala Chhatri*

した外観をもつ。

ラム・ゴーパル・ガネリワラ・ハーヴェリー ★☆☆

Ram Gopal Ganeriwala Haveli／㊪राम गोपाल गनेरीवाला हवेली
㋒رام گوپال گنیری والا حویلی

　マールワーリー商人のガネリワラ家によって1895年に建てられたガネリワラ・ハーヴェリー。基壇のうえに2層のハーヴェリーが載る。クリシュナ神の壁画が見える。

シヴァ・プラタップ・ポッダル・ハーヴェリー ★☆☆

Shiv Pratap Poddar Haveli　㊪शिव प्रताप पोद्दार हवेली　㋒شیو پرتاپ پودار حویلی

　1920年に建てられたシヴァ・プラタップ・ポッダル・ハーヴェリー。前庭と中庭にはシカールのラジャ、ジャイプルのマハラジャが描かれている。

ラム・ゴーパル・ガネリワラ・チャトリ ★☆☆

Ram Gopal Ganeriwala Chhatri／㊪राम गोपाल गनेरीवाला छतरी／
㋒رام گوپال گنیری والا چھتری

　ファテープルの大通りに面した公園に立つラム・ゴーパル・ガネリワラ・チャトリ。ガネリワラ家は南インドのハイデラバードで銀行家として成功し、このチャトリは1886年にラム・ゴーパルが父ヒララル・ガネリワラのために建てた。

ドワルカデッシュ寺院 ★★☆

Dwarkadheesh Mandir／㊪द्वारकाधीश मंदिर／㋒دوارکادیش مندر

　1898年にマールワーリー商人のアシャラム・ポッダルによって建てられたドワルカデッシュ寺院。クリシュナ神をまつるヴィシュヌ派のヒンドゥー寺院で、壁面はフレスコ画で彩られている（グジャラート州のドワルカの王として信仰されいるクリシュナ神に捧げられた寺院）。ドーム屋根をもったチャトリが上部で連続する宮殿式の建築で、壁面には

ナディンリー・プリンス・カルチャーセンターの外観

リキシャを利用してハーヴェリーをまわる

ラジャスタン、ファテープルの街角

『ラーマーヤナ』をはじめとしたフレスコ画がびっしりと描かれている。このドワルカデッシュ寺院で見られる四隅の垂れさがったバングラ屋根は、もともと雨の多いベンガル地方のもので、ムガル帝国を通じてラジャスタン建築にとり入れられた。

ナワブ・アレフ・ハンの墓 ★☆☆

Nawab Alif Khan Ka Maqbara／ⓗ नवाब अलिफ खान का मकबरा
ⓤ نواب علیف خان کا مقبرہ

1685年ごろ建てられた古い墓廟のナワブ・アレフ・ハンの墓。ナワブ（太守）はこの街を造営したファテー・ハンに連なるイスラム教徒の支配者で、ファテープルの礎を築いた。塗装されたアーチ型の門の奥に墓廟があり、大きなドームが載る。

॥कूवरी चंदन॥३५॥

Around Fatehpur

ファテープル郊外城市案内

シェカワティの文化的古都と知られてきたファテープル
イスラムとラージプート双方の伝統をもち
この街から発信される新たな取り組みも見られる

ベヘリム・キングダム1922 ★☆☆

Behlim Kingdom 1922 ㋪बेह्लिम किंगडम 1922 ㋒1922 بہلیم بادشاہی

ファテープル市街南部に立つハーヴェリーのベヘリム・キングダム1922。ベヘリムとは中央アジアに源流をもつイスラム教徒で、このハーヴェリーはハジ・ディーン・ムハンマド・ベヘリムによって1922年に建てられたものを前身とする。

ダルガー・ホワジャ・ナジムッディーン・スライマニ ★☆☆

Dargah Khwaja Najmuddeen Sulaimani
㋪दरगाह ख्वाजा नजमुद्दीन सुलैमानी／㋒درگاہ خواجہ نجم الدین سلیمانی

19世紀に生きたイスラム聖者ホワジャ・ナジムッディーン・スライマニをまつったダルガー（墓廟）。かつてファテープル南部はジャングルが広がり、聖者はこの地に滞在し、布教を行なった（アラビア語、ペルシャ語、ウルドゥー語、ヒンディー語など、複数の言語を使ったという）。このダルガーは1863～74年ごろ建てられ、周囲には地元のイスラム教徒の墓も位置する。

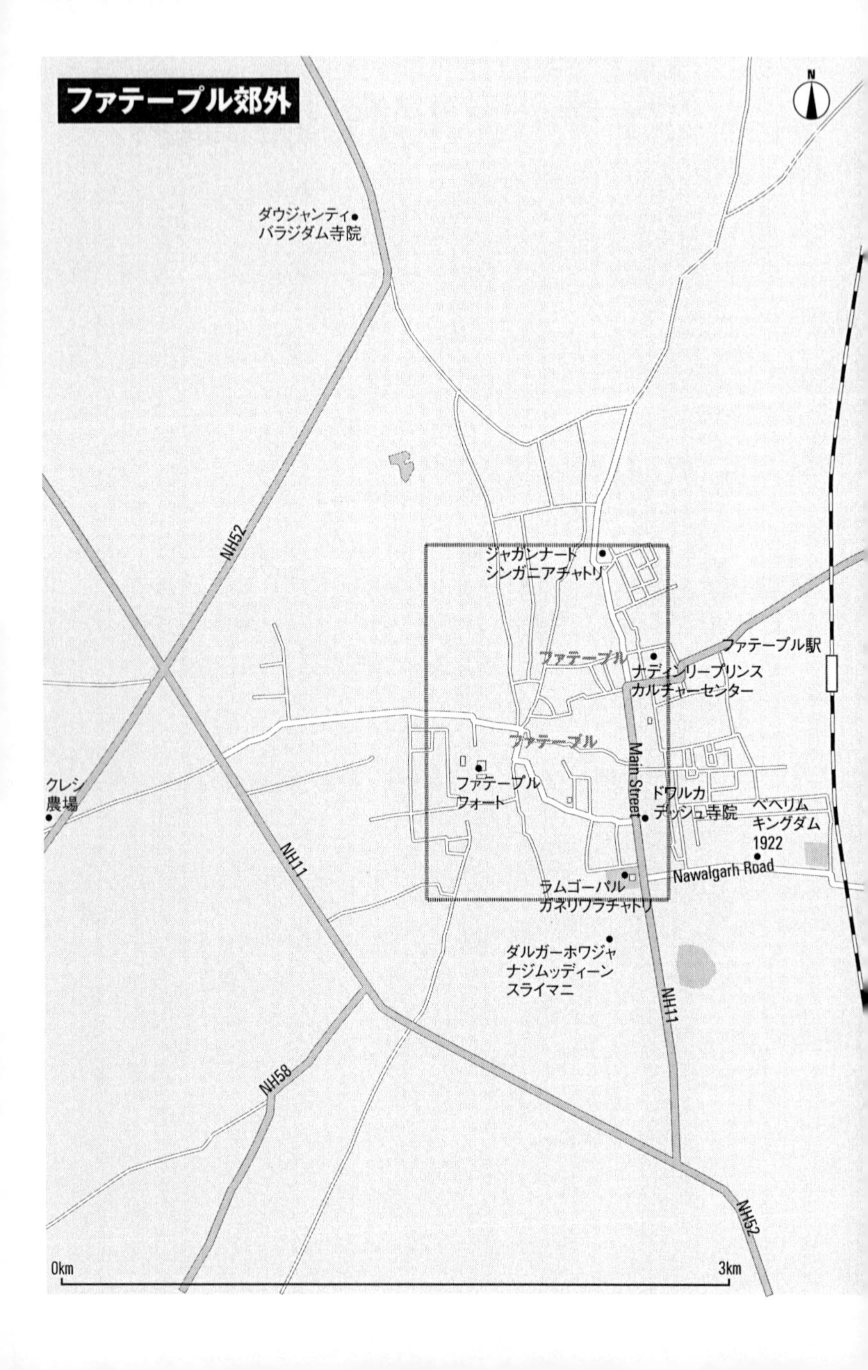

ファテープル郊外
N
ダウジャンティ
バラジダム寺院
NH52
ジャガンナート
シンガニアチャトリ
ファテープル
ナディンリープリンス
カルチャーセンター
ファテープル駅
ファテープル
クレシ
農場
ファテープル
フォート
Main Street
ドワルカ
デッシュ寺院
ベヘリム
キングダム
1922
Nawalgarh Road
NH11
ラムゴーパル
ガネリワラチャトリ
ダルガーホワジャ
ナジムッディーン
スライマニ
NH11
NH58
NH52
0km
3km

ダウ・ジャンティ・バラジ・ダム寺院 ★☆☆

Dau Janti Balaji Dham Mandir／ⓗदो जाँटी बालाजी धाम मंदिर／ⓤداو جنتی بالاجی دھام مندر

ファテープル北郊外に位置し、猿神ハヌマンをまつる巨大なダウ・ジャンティ・バラジ・ダム寺院。ハヌマン像を安置する2階の本堂へ階段が伸び、そのうえには聖なる音「オーム」の文字がサンスクリット語で記されている。この寺院に巡礼して祈れば、願いがかなうのだという。

クレシ農場 ★☆☆

Qureshi Farm／ⓗकुरैशी फार्म ⓤقریشی فارم

インドの農村に活力をあたえることを目的に、2012年に開場したクレシ農場。ソーシャルメディアを通じたヤギの養殖など、世界的に注目されるプロジェクトを行なっている。

★★★

ファテープル *Fatehpur*

★★☆

ナディンリー・プリンス・カルチャーセンター *Nadine Le Prince Cultural Centre(Nand Lal Devra Haveli)*
ジャガンナート・シンガニア・チャトリ *Jagannath Singhania Chhatri*
ドワルカデッシュ寺院 *Dwarkadheesh Mandir*

★☆☆

ベヘリム・キングダム1922 *Behlim Kingdom 1922*
ダルガー・ホワジャ・ナジムッディーン・スライマニ *Dargah Khwaja Najmuddeen Sulaimani*
ダウ・ジャンティ・バラジ・ダム寺院 *Dau Janti Balaji Dham Mandir*
クレシ農場 *Qureshi Farm*
ファテープル・フォート *Fatehpur Fort*
ラム・ゴーパル・ガネリワラ・チャトリ *Ram Gopal Ganeriwala Chhatri*

象が描かれた、派手な装飾をもつハーヴェリー

Jhunjhunu

ジュンジュヌ城市案内

ジュンジュヌはシェカワティ地方最大の街
インドを代表する
サティー寺院の本家も位置する

ジュンジュヌ ★★★

Jhunjhunu ㊩झुंझुनूं／㋒جھنجھنو

　シェカワティでもっとも大きく、この地方の主都とも言えるジュンジュヌ。街のくわしい歴史はわかっていないが、10世紀ごろには集落があったとされ、ラージプートのチャウハン朝が支配していた。1450年にイスラム勢力のモハンマド・ハンがヒンドゥー勢力を駆逐して最初のナワブ（太守）となり、その息子のサマス・ハンが王となった。ジュンジュヌという名称は、当時、この地に暮らしていたジャート族の名前に由来する。デリーのイスラム王朝のもと、ここジュンジュヌもイスラム太守ナワブによる統治が280年続いたが、1707年にムガル帝国第6代アウラングゼーブ帝が死去すると、後継者争いがはじまった。こうしたなか、ディワン（第一大臣）を務めていたシェカワティ・ラージプートのサルドゥル・シンが1730年にクーデターを起こして権力を掌握した。ヒンドゥー寺院や井戸が建設されるなど街づくりが進められ、ジュンジュヌの領地は、サルドゥル・シンの5人の息子たちに平等に配分された。彼らは多くの新しい街、村、砦や宮殿を造営し、複数の領地がならぶシェカワティの基礎がつくられ、ジュンジュヌはそのなかでも総本家といった存在だった。13世紀にさかのぼるサティー女神の聖地であり、フレスコ

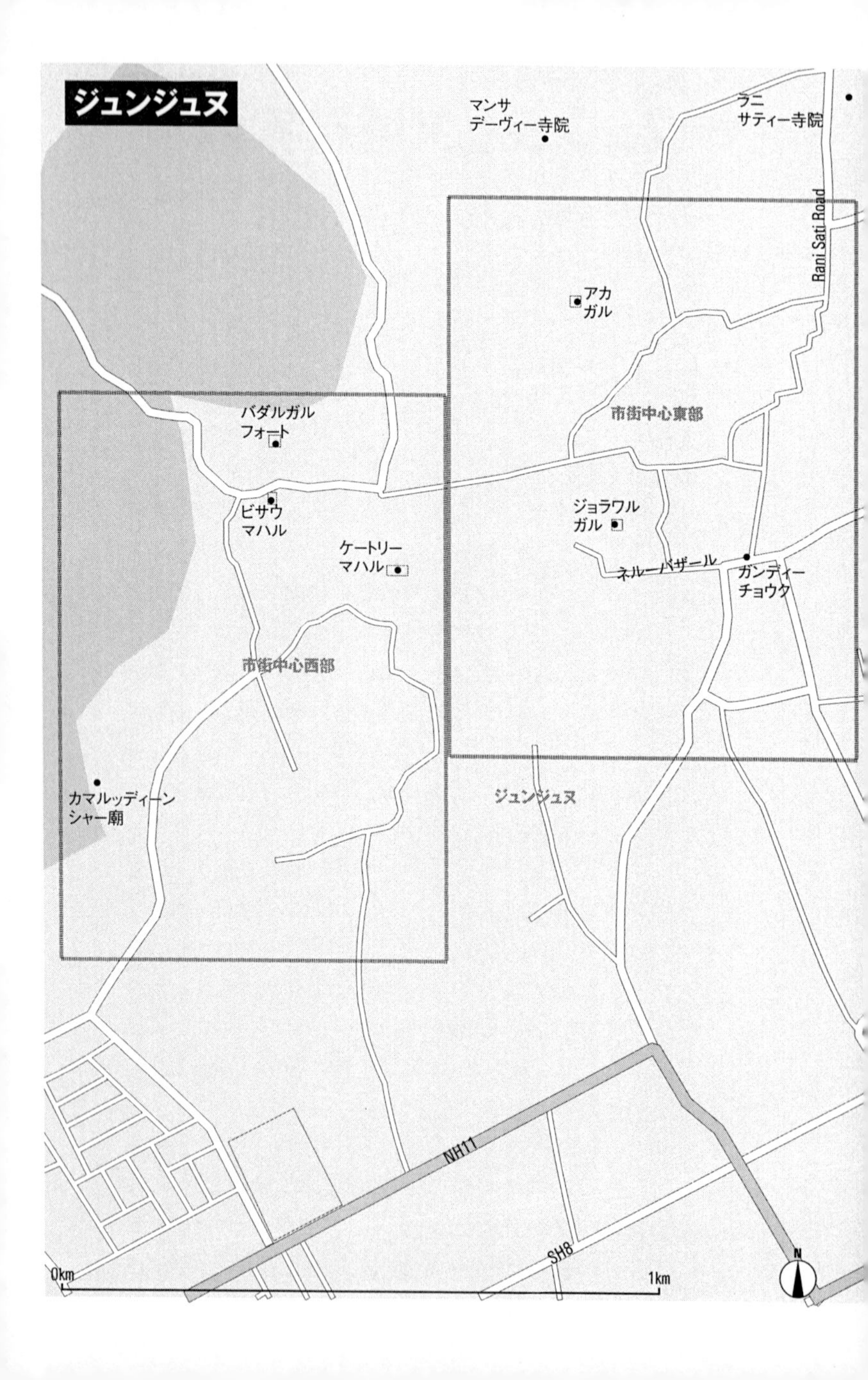
ジュンジュヌ
マンサ
デーヴィー寺院
ラニ
サティー寺院
Rani Sati Road
アカ
ガル
市街中心東部
バダルガル
フォート
ビサウ
マハル
ジョラワル
ガル
ケートリー
マハル
ネルーバザール
ガンディー
チョウク
市街中心西部
カマルッディーン
シャー廟
ジュンジュヌ
NH11
SH8
0km
1km
N

市街中心東部
メルタニの
階段井戸
マンサデーヴィー
寺院へ
ラニサティー
寺院へ
ラクシュミー
ナラヤン寺院
Rani Sati Road
ダダバリ
ジャイナ寺院
アカガル
ジュンジュヌ
ジョラワル
ガル
ビハーリ
ジー寺院
シェカワティ
チャトリ
カニラムナルシンダス
ティブルワラ
ハーヴェリー
ケートリー
マハル
ネルーバザール
ガンディー
チョウク
イシュワルダス
モハンダス
モディ
ハーヴェリー
サマス
ハンの墓
ナルッディン
ファルーキ
ハーヴェリー
N
0m
500m

画の描かれたハーヴェリー、宮殿、モスクや井戸が残ることから、街はシェカワティでも多彩な魅力をもつ。またこの地方が生んだマールワーリー商人の寄進による病院や大学も多く、ラジャスタンでも先進的な街となっている。

ラニ・サティー寺院 ★★★

Rani Sati Mandir ㋪रानी सती मंदिर／㋒رانی ستی مندر

インド各地に100以上の支部寺院をもつサティー寺院の総本山で、1295年、夫の死にあたって寡婦殉死を行なったラニ・サティーをまつるラニ・サティー寺院。先立った夫を追って生きたまま火中に身を投じる寡婦殉死(サティー)を行なったジャーラーン・ナラヤニ・デヴィがまつられていて、当初は小さな祠が建てられているだけだった(彼女の属するアグラワール・カーストのジャーラーンは、クシャトリアから商人ヴァイシャとなったという)。シェカワティでは、サティーをした女性は女神として信仰され、殉死場所は多くの巡礼者が訪れる聖地となるが、このラニ・サティー

★★★
ジュンジュヌ *Jhunjhunu*
ラニ・サティー寺院 *Rani Sati Mandir*

★★☆
ネルー・バザール *Nehru Bazar*
イシュワルダス・モハンダス・モディ・ハーヴェリー *Ishwardas Mohandas Modi Haveli*
ケートリー・マハル *Khetri Mahal*
メルタニの階段井戸 *Mertani Ji Ki Bawari*
カマルッディーン・シャー廟 *Dargah Kamruddin Shah*

★☆☆
シェカワティ・チャトリ *Cenotaphs of Shekhawati Rulars*
カニラム・ナルシンダス・ティブルワラ・ハーヴェリー *Kaniram Narsingdas Tibrewal Haveli*
サマス・ハン墓 *Nawab Samas Khan Maqbara*
ナルッディン・ファルーキ・ハーヴェリー *Naruddin Farooqui Haveli*
ジョラワル・ガル *Jorawar Garh*
ビハーリジー寺院 *Bihariji Mandir*
バダルガル・フォート *Badalgarh Fort*
ビサウ・マハル *Bissau Mahal*
アカ・ガル *Akha Garh*
ラクシュミー・ナラヤン寺院 *Laxmi Narayan Mandir*
ダダバリ・ジャイナ寺院 *Jain Mandir Dadabadi*
マンサ・デーヴィー寺院 *Mansa Devi Mandir*

寺院はジャーラーンのある家族によって代々、管理され、受けつがれてきた。現在のラニ・サティー寺院が建立されたのは1912年のことで、この地方出身のマールワーリー商人がイギリス領のコルカタで成功する過程で、自らの故郷の伝説的女性をまつる寺院へ寄進をし、そのたびに寺院は拡大してきた。1934年にムンバイのマールワーリー商人シヴァチャンドラーエ・ジュンジュヌワーラーによって建てられた巨大な5層の門楼シンハドワール（ライオンの扉の意味）からなかに入ると、サティーを敢行した12人の女性の名前と出身地が刻まれたモニュメントが立ち、この12の小さなサティー寺院と、高いシカラ屋根をもつ主要な寺院のあわせて13のサティー寺院からラニ・サティー寺院は形成されている（またハヌマン寺院、シーター寺院、ガネーシャ寺院、シヴァ寺院がそばに立つ）。ほかのヒンドゥー寺院と違って、この寺院では神々の彫刻や絵画が見られず、女性の貞淑さの象徴であるナラヤニ・デヴィの肖像画が安置されている。コルコタのマールワーリー寺院委員会（商人集団）の運営する寺院であるため、ビジネス上の恩恵や経済的な成功が受けられるといい、インドでもっとも財力のある寺院でもある。

サティー寺院が建てられるまで

　ラニ・サティー寺院に連なる話は『マハーバーラタ』の神話時代にさかのぼり、ラニ・サティーは戦死したアルジュンの息子アビマニュの妻だったとされる。そして時代がくだった13世紀、クリシュナ神の恩恵で、ハリヤナのマハム村の豪商グルサハーエマルの娘ナラヤニとして生まれ変わり、ナラヤニは美しく、聡明で、幼少のころから宗教的な力をもっていた。一方のアビマニュはヒサール（ハリヤナ）の宰相ジャーリーラームの息子タンダンダースとして生まれ変わり、ふたりはやがて結婚した。1295年、ヒサール太守の子はタンダンダースのもつ俊馬をほしがったが、それが拒否されると、強引に奪い、怒ったタンダンダースは王の息子を殺してしまった。タンダンダースは一族と妻を連れて逃げたものの、太守の軍勢に殺害された。ナラヤニは夫の剣を手にとり、相手を全滅させたあと、従者ラナにみとられて寡婦殉死サティーを行なった。そして彼女はラニ・サティーとなって従者ラナの前に現れ、駿馬に自分の位牌を載せ、それがとまった場所に祠を建てるよう告げた。そして、その馬はジュンジュヌにとまり、こうしてこの地にラニ・サティー寺院が建てられた。

貞淑さと、迷信と

夫に先立たれた妻が、夫の亡骸とともに生きたまま火葬される寡婦殉死サティー。サティーとはもともと「貞淑な妻」を意味し、インドの古代叙事詩『マハーバーラタ』や『ラーマーヤナ』のほか、インドを訪れたメガステネスやイブン・バットゥータもこのサティーについて記している（夫婦は地上での婚姻関係を終え、天国でともに暮らすとされる）。女性は男性に仕えるといった封建的な価値観の残るラジャスタンでは、中世以来、マハラジャやラージプートのあいだでサティーが行なわれ、シェカワティ地方は20世紀以降もサティーが起こるサティー頻発地域であった。くべられた薪の周囲に男たちが輪をつくって邪魔の入らないようにし、太鼓、トランペット、ラッパの音と「サティー女神万歳」という興奮した声のなか、女性は炎のなかに身を投じる。ラジャスタンでは、寡婦は粗末な食事や服装しかあたえられず、不吉な存在とされる迷信、女性の社会的地位の低さが寡婦殉死に関係しているという。

マールワーリー商人の寄進によるラニ・サティー寺院の門楼

白いシカラ屋根、たなびく紅い旗が見える

生きたまま火中に身を投じた女性をまつるサティー寺院

インドでも屈指の財力をもつ寺院でもある

ネルー・バザール ★★☆

Nehru Bazar／ⓗ नेहरू बाज़ार／ⓤ نہرو بازار

ジュンジュヌの中心部にあたるガンジー・チョウクから西に走るネルー・バザール。ジュンジュヌでもっともにぎわう場所で、人であふれ、果物や野菜売り、布製品をあつかう店舗がならぶ。細い路地や小道が迷路のように走り、バザール内には古いハーヴェリーも残る（1730年以前のイスラム太守統治下でも、ビジネスはヒンドゥー教徒のバニアが行なった）。

シェカワティ・チャトリ ★☆☆

Cenotaphs of Shekhawati Rulars／ⓗ शेखावाटी छतरी／ⓤ شیخاواتی چھتری

1730年以後、ジュンジュヌを中心にこの地方を統治したシェカワティ・ラージプートの墓廟シェカワティ・チャトリ。ジュンジュヌのイスラム太守ロヒラ・ハンの死後（1730年）、勇敢さと統治能力に長けた宰相サルドゥル・シン（在位1721～42年）は、政権を奪取し、以後、ヒンドゥー教徒のシェカワティ・ラージプートによって街は統治された。そして、シェカワティ地方はこのサルドゥル・シンを中心とした王国状態となり、やがて領地と財産は5人の息子に分割され、それぞれの小領主国が並立した。このシェカワティ・チャトリはサルドゥル・シンの一族をまつり、アーチを連続させた開口部をもつ基壇のうえにドーム屋根をもったチャトリを載せる。

イシュワルダス・モハンダス・モディ・ハーヴェリー ★★☆

Ishwardas Mohandas Modi Haveli／ⓗ मोदी हवेली／ⓤ مودی حویلی

旧市街の一角に残る商人イシュワルダス・モハンダス・モディの邸宅ハーヴェリー（モディ・ハーヴェリー）。1896年に建てられ、アーチ型の上部をもつ門からなかに入ると、中庭が広がり、回廊状のヴェランダが見える。屋根を支える彫刻のほどこされた腕木が見え、邸宅の壁面にはヒンドゥー神話の一場面が描かれている。

カニラム・ナルシンダス・ティブルワラ・ハーヴェリー ★☆☆

Kaniram Narsingdas Tibrewal Haveli

ⓗ कनीराम नृसिंहदास टीबरेवाला हवेली　ⓤ کنیارم نرسنگداس تبریوالا حویلی

ネルー・バザールの西の突きあたりに立つ堂々としたカニラム・ナルシンダス・ティブルワラ・ハーヴェリー1883年にナルシンダス・ティブルワラによって建てられた。美しいフレスコ画や木彫りの彫刻で彩られている。

サマス・ハーン墓 ★☆☆

Nawab Samas Khan Maqbara　ⓗ नवाब समस खान मकबरा

ⓤ نواب شمس خان مقبرہ

1450年にイスラム勢力のモハンマド・ハンがヒンドゥー勢力を駆逐し、最初のナワブ（太守）となり、その息子サマス・ハンが王となった。以来、デリーのサルタナット朝に属するかたちで、ナワブによる統治は280年続き、サマス・ハンはジュンジュヌの礎を築いた人物だと目されている。方形の基壇のうえにドームが載る様式で、ちょうどネルー・バザールの反対側にイスラム以後のヒンドゥー統治者のチャトリが位置する。

ナルッディン・ファルーキ・ハーヴェリー ★☆☆

Naruddin Farooqui Haveli　ⓗ नारुद्दीन फारुकी हवेली　ⓤ نورالدین فاروقی حویلی

バザール西側に立つ2階建てのナルッディン・ファルーキ・ハーヴェリー。このハーヴェリーは一般的なヒンドゥー教徒のマールワーリーではなく、イスラム教徒のもので、前後2つの中庭をもつ。このあたりにはイスラム教徒の墓廟が残る。

ジュンジュヌを代表する邸宅のモディ・ハーヴェリー

多くの人が行き交うネルー・バザール

露店がならぶジュンジュヌの街角

窓枠、腕木の装飾が見事なハーヴェリー

ジョラワル・ガル ★☆☆

Jorawar Garh　ⓗजोरावर गढ़／ⓤجوراور گڑھ

サルドゥル・シン(在位1721〜42年)の長男ジョラワル・シンが1741年に建設したジョラワル・ガル。3階建ての建築で、四方を高い壁で囲まれている。街を防衛する砦の役割を果たしていた。

ビハーリジー寺院 ★☆☆

Bihariji Mandir／ⓗबिहारी जी मंदिर　ⓤبہاری جی مندر

1776年にケトリの商人の寄進で建てられたビハーリ・ジー寺院。シカラ屋根をもつ北インド様式のヒンドゥー寺院で、マールワーリー商人の信仰するクリシュナ神がまつられている。

バダルガル・フォート ★☆☆

Badalgarh Fort　ⓗबादलगढ़ किला　ⓤبادل گڑھ قلعہ

ジュンジュヌ旧市街西部の丘陵にそびえる城砦バダルガル・フォート。1450年にイスラム太守ナワブが樹立したジュンジュヌの宮殿がおかれた場所で、現在の城砦は17世紀末にファズル・ハンによって建てられた。18世紀以降、ラージプートのヒンドゥー教徒に統治者が替わり、引き続き領主がここに暮らした。城壁の角に円形稜堡を配する堂々としたたたずまいを見せる。

ケートリー・マハル ★★☆

Khetri Mahal／ⓗखेतड़ी महल　ⓤکھیتڑی محل

「風の宮殿」と呼ばれ、シェカワティ建築でもっとも美しい宮殿と言われるケートリー・マハル。1770年、ボパール・シン(イスラム勢力の太守から街をとったサルドゥル・シンの孫)によって建てられ、バルコニー、出窓などで、美しいたたずまいを見せ、ムガル帝国時代に洗練された建築様式をもつ。「風の宮殿」と名づけられているにもかかわらず、ケト

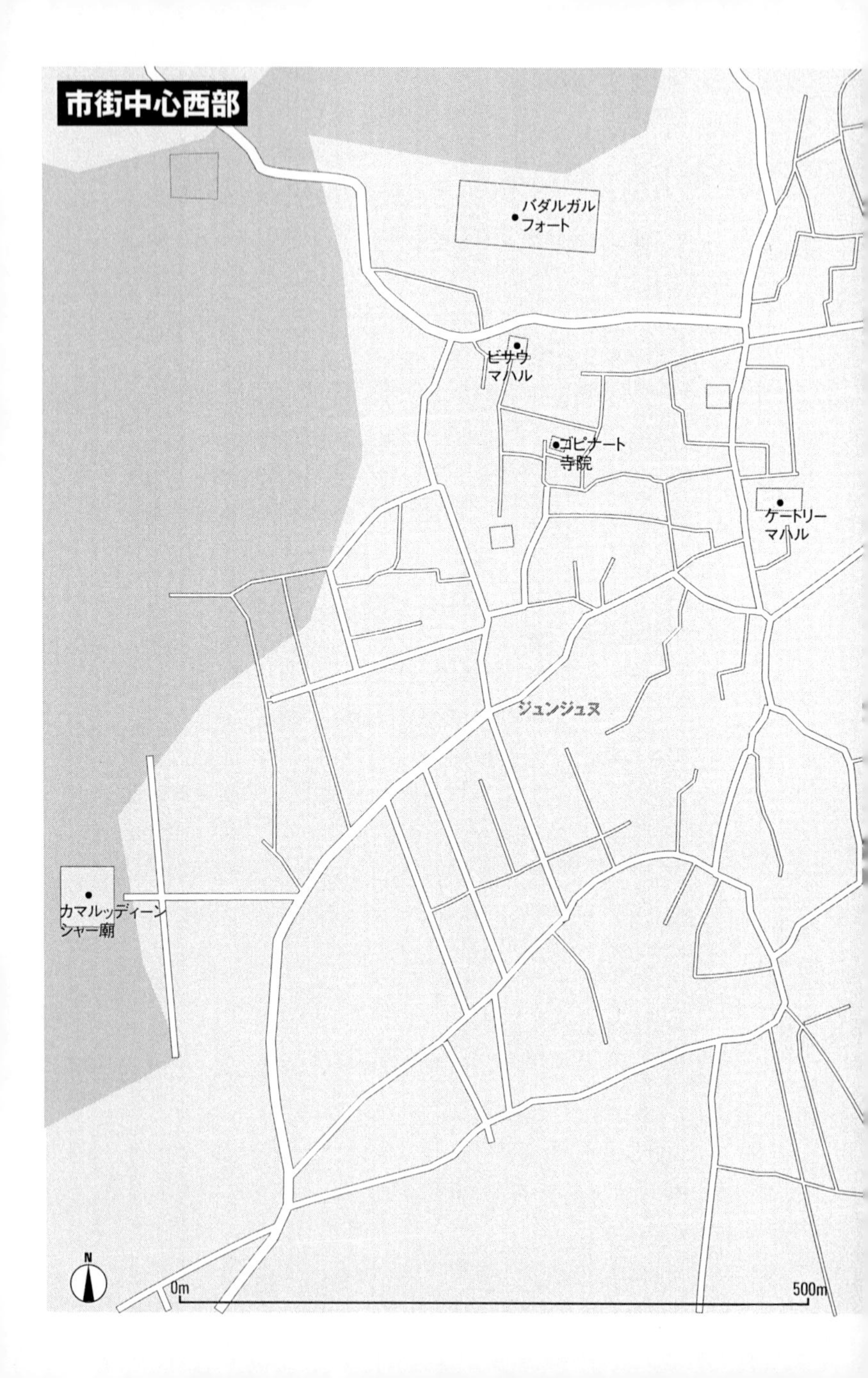
市街中心西部
バダルガル
フォート
ビサウ
マハル
ゴピナート
寺院
ケートリー
マハル
ジュンジュヌ
カマルッディーン
シャー廟
N
0m
500m

リ・マハルには窓や扉がなく、内部は壁をできるだけ使わず、アーチと柱を連続して配置する設計となっている(そうして風がとぎれないようにしている)。入口から宮殿の広大なテラスにつながる長いスロープがあり、ラージプートはここで騎乗した。屋上から眼下にジュンジュヌの旧市街が広がる。

カマルッディーン・シャー廟 ★★☆

Dargah Kamruddin Shah Ⓗकमरुद्दीन शाह का मकबरा／Ⓤدرگاہ کمرالدین شاہ

ネハラ・パハールの山麓に残る19世紀のイスラム聖者カマルッディーン・シャー廟(ダルガー)。4層からなる堂々とした門楼建築の奥の中央にイスラム聖者(スーフィー)のカマルッディーン・シャーが眠っている。美しい中庭をもち、モスクとイスラム神学校マドラサを併設する複合建築となっている。ここでヒンドゥー教のお祝いディーワーリーを、ヒンドゥー教徒とイスラム教徒双方が一緒に行なうことでも知られる。

ゴピナート寺院 ★☆☆

Gopinath Mandir／Ⓗगोपीनाथ मंदिर／Ⓤگوپی ناتھ مندر

1735年ごろにシェカワティ・ラージプートのサルドゥル・シン(在位1721～42年)によって建てられたゴピナート寺院。イスラム教徒のナワブに代わってジュンジュヌを統治したサルドゥル・シンはほかにもヒンドゥー寺院を建てて、街づくりを進めた。

★★★
ジュンジュヌ *Jhunjhunu*

★★☆
ケートリー・マハル *Khetri Mahal*
カマルッディーン・シャー廟 *Dargah Kamruddin Shah*

★☆☆
バダルガル・フォート *Badalgarh Fort*
ゴピナート寺院 *Gopinath Mandir*
ビサウ・マハル *Bissau Mahal*

ビサウ・マハル ★☆☆

Bissau Mahal／ⓗबिसाऊ महल　ⓤبساؤ محل

サルドゥル・シン（在位1721～42年）の死後、5人の息子に財産や領地はわけられ、末っ子のケシュリ・シンが1746年にジュンジュヌ北西にビサウの街を建設した。このビサウ・マハルはケシュリ・シンによって1760年ごろに建てられ、ジュンジュヌ滞在のときの拠点としていた。こぶりだが、美しい宮殿で、バダルガル・フォートの麓に位置する。

アカ・ガル ★☆☆

Akha Garh／ⓗअखा गढ़／ⓤاکھا گڑھ

街の北側に立ち、ジュンジュヌの街を防衛していた要塞アカ・ガル。サルドゥル・シン（在位1721～42年）の子アカイ・シンによって建てられはじめ、1760年ごろ、その弟ナワル・シンによって完成した（ナワル・シンは、マンダワやナワルガルを築いたラージプート）。堂々とした城壁をもつ。

ラクシュミー・ナラヤン寺院 ★☆☆

Laxmi Narayan Mandir／ⓗलक्ष्मी नारायण मंदिर　ⓤلکشمی نارائن مندر

ヴィシュヌ神とその配偶神であるラクシュミー女神をまつるラクシュミー・ナラヤン寺院。1919年にカイタン家のラム・ヴィラスによって創建された。白大理石による美しい建築で、中央の大型ドームの周囲に、4つの小さなドームを載せたチャトリが配置されている。葉状のアーチ、壁画が寺院を彩り、上部は回廊式ヴェランダになっている。

ダダバリ・ジャイナ寺院 ★☆☆

Jain Mandir Dadabadi／ⓗजैन मंदिर दादाबाड़ी　ⓤجین مندر دادابادی

ジャイナ教の聖者ダダバリ（1140～66年）に捧げられたダダバリ・ジャイナ寺院。ジャイナ教徒は商人として西インドで強い力をもち、この寺院はシェカワティ地方で見ら

人びとの信仰や想いが視覚化された

ここでも壁絵が見られる、ジュンジュヌ旧市街のハーヴェリー

中庭のアーチと列柱がリズムをつくる

象頭のガネーシャ神がまつられている

れるハーヴェリー様式の建築となっている。四方のドーム屋根、壁面上部のバングラ屋根はベンガル地方のもので、ムガル帝国を通じてラジャスタン建築にとり入れられた。

メルタニの階段井戸 ★★☆

Mertani Ji Ki Bawari／㊥मर्तनी जी की बावरी／㋒مرتانی جی کی باوری

旧市街北部に残り、街の水源となってきたメルタニの階段井戸。サルドゥル・シン（在位1721～42年）の未亡人によって1783年につくられ、地下の井戸に向かって階段が伸びていく。階段状の井戸だと水がどの高さであっても、取水がかんたんにでき、ラジャスタンでは水の管理は女性の仕事だった。奥行きは75mほどで、階段の途中に門があり、周囲は装飾されている。

マンサ・デーヴィー寺院 ★☆☆

Mansa Devi Mandir／㊥मनसा देवी मंदिर／㋒مانسہ دیوی مندر

ジュンジュヌ市街の北の丘陵に立つマンサ・デーヴィー寺院。生命を生み出す女性の性力シャクティの象徴マンサ・デーヴィー女神に捧げられている。800年以上の歴史をもつと言われるが、現在の寺院は19世紀になってから建てられた。この女神はマタ・ラニやヴァイシュナデヴィとしても知られている。

लीला हाव लक्षण ॥ करत जहा लीला निको प्रात [illegible]
वैनाइ ॥ उपजत लीला हाव तह वरणत केसोराइ ॥ [illegible] ली
ला ॥ पाइनि को [illegible] अपमान [illegible] के सु के सव मान [illegible]
सो [illegible] न मो रूष वाइ वा षे वो विद्रो बिच कू दिसि वो [illegible] ते
ओ चील कुचील नि उपर [illegible] ढि वो [illegible] तनि के घर के लगि [illegible]
आषि निम्र दिके सो [illegible] का कुंज नि ते घ [illegible] नि ज
ो ॥ [illegible] लीला ॥ जा के फ [illegible] नि मे च ढि [illegible] नि उप
रूपन धावे ॥ निंदत [illegible] वि नि को [illegible]
गुन गावे ॥ चित्रित चित्र मे आ [illegible] व लोकत आनंद [illegible]
लावे ॥ आगन ते घर [illegible] ते कि [illegible] विसरा
वे ॥ ललित हाव लक्षण ॥ बोल [illegible] वि [illegible] कि वो [illegible]
मनोहर रूप ॥ [illegible] ललित हाव [illegible] रूप ॥

Around Jhunjhunu

ジュンジュヌ郊外城市案内

特異なヒンドゥー聖地という性格をもつ
ジュンジュヌの郊外には
近年になって新たなヒンドゥー寺院が建てられている

バンデ・カ・バラジ寺院 ★☆☆

Bandhe Ka Balaji Mandir ㊉बंधे का बालाजी मंदिर／ⓤبندھے کا بالاجی مندر

猿神ハヌマンをまつったバンデ・カ・バラジ寺院。比較的新しいつくりで、この寺院に安置されたハヌマン像は、丸顔で、口ひげとあごひげをもつ。

パンチデブ寺院 ★☆☆

Panchdev Mandir ㊉पंचदेव मंदिर ⓤپنچ دیو مندر

ラジャスタン州ジュンジュヌに顕現したヴィシュヌ神の化身ババ・ガンガラム（1895～1938年）をまつるパンチデブ寺院。ババ・ガンガラムはカリヤニ川のほとり、ガジュマルの木の下で修行し、人びとに教えを説いた。ババ・ガンガラム（ヴィシュヌ神）のほか、シヴァ神、ハヌマン神、ドゥルガー女神、ラクシュミー女神の偶像をまつることから、パンチデブ寺院と呼ぶ。1975年に建てられ、広々とした美しい庭園とシカラ屋根をもつ寺院建築となっている。ロード・ババ・ガンガラムズ・ダムともいう。

アジット・サガル湖 ★☆☆

Ajit Sagar Lake ㊉अजीत सागर तालाब ⓤاجیت ساگر جھیل

1902年にカイタン家のジトマイ・カイタンによってつくられた人造の貯水池、アジット・サガル湖。多くの渡り

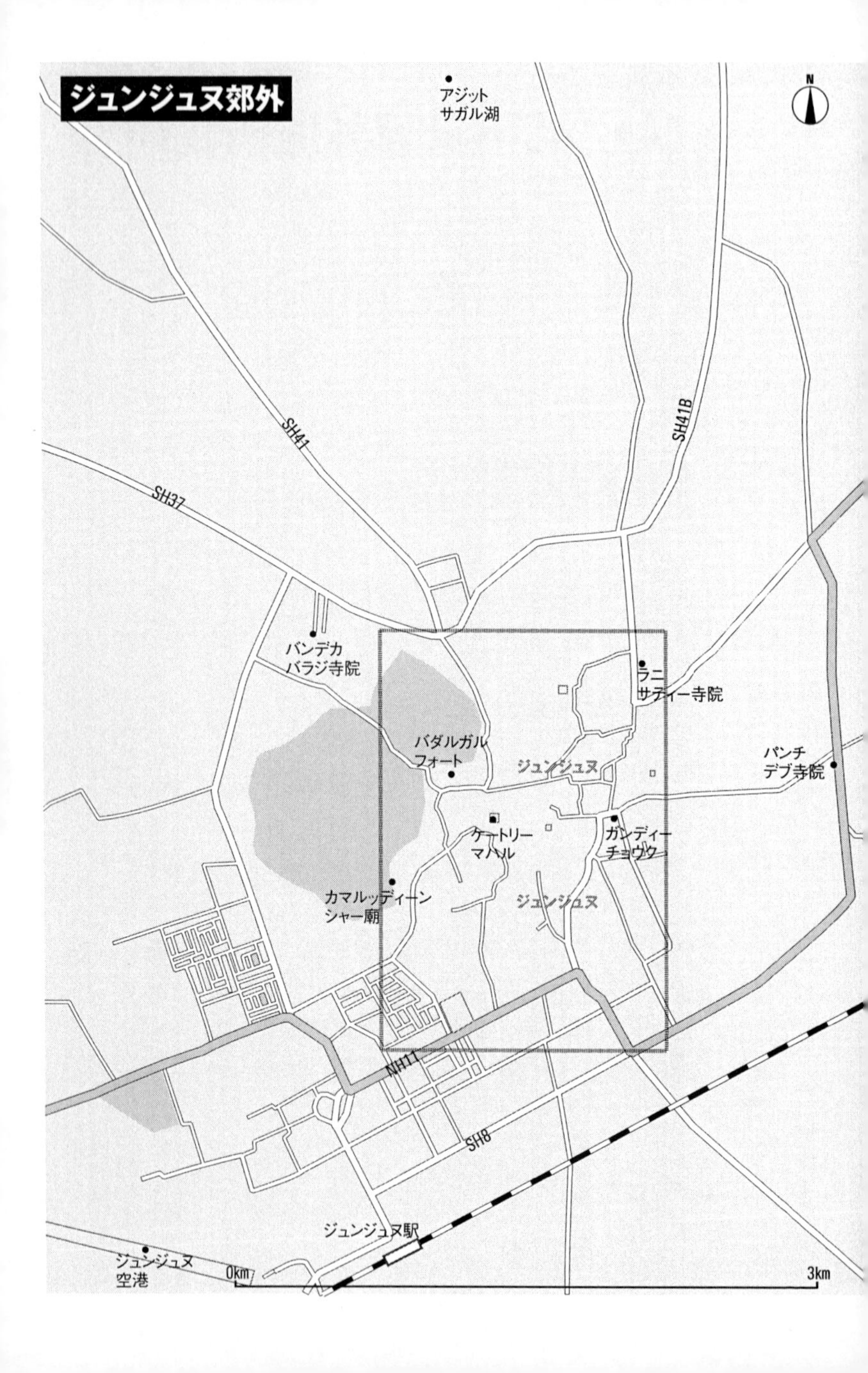
ジュンジュヌ郊外
N
アジット
サガル湖
SH41
SH37
SH41B
バンデカ
バラジ寺院
ラニ
サティー寺院
バダルガル
フォート
ジュンジュヌ
パンチ
デブ寺院
ケートリー
マハル
ガンディー
チョウク
カマルッディーン
シャー廟
ジュンジュヌ
NH11
SH8
ジュンジュヌ駅
ジュンジュヌ
空港
0km
3km

鳥が訪れ、ほとりのモダ・パハルは美しい夕日を見ることのできるサンセット・ポイントとなっている。ジュンジュヌ北郊外に位置する。

★★★

ジュンジュヌ *Jhunjhunu*

ラニ・サティー寺院 *Rani Sati Mandir*

★★☆

ケートリー・マハル *Khetri Mahal*

カマルッディーン・シャー廟 *Dargah Kamruddin Shah*

★☆☆

バンデ・カ・バラジ寺院 *Bandhe Ka Balaji Mandir*

パンチデブ寺院 *Panchdev Mandir*

アジット・サガル湖 *Ajit Sagar Lake*

バダルガル・フォート *Badalgarh Fort*

旧市街の中心に立つナワルガル・フォート

街はマンダワと同じタクル・ナワル・シンが創設した

ムガル帝国の建築様式がラジャスタンでも使われた

シェカワティの街角で出合った女の子

Nawalgarh

ナワルガル城市案内

シェカワティ各地に
道が伸びるナワルガル
美しいハーヴェリーが残る

ナワルガル ★★☆

Nawalgarh／ⓗ नवलगढ़／ⓤ نوال گڑھ

ジュンジュヌを中心にシェカワティ地方を統治したサルドゥル・シン（在位1721～42年）は、5人の息子に自らの領地を分配してあたえ、ナワルガルはそのうちの5男タクル・ナワル・シン（在位1742～79年）によって1737年に創建された（3男バハドゥール・シンは夭逝した）。当時、村人の暮らしていた集落にフォートを建設し、街名は自らの名前をとって「ナワルガル（ナワルの城砦）」と名づけられた。領主の暮らすフォートを中心に、街を守護するゴピナート寺院、周囲の城壁、濠、3つの砦が整備され、ナワル・シンはジャイプルの商人を誘致した。モラルッカ家、ゴエンカの名前で知られるチャウドダリ家をはじめとする商人が、交易ルート上にあったナワルガルに移住し、経済の発展とともに街は繁栄していった（ナワル・シンは、同時期にマンダワを築いたことでも知られる）。そして力を蓄えた商人たちはマールワーリー商人としてイギリス植民地下のコルカタに進出し、そこで得た富を自らの故郷であるナワルガルに投資した。こうしてマールワーリー商人たちの権勢を示す豪華な邸宅ハーヴェリーが築かれ、ナワルガルは保存状態のよいハーヴェリーがいくつも残るラジャスタン州最大のオープン・アート・ギャラリーとも呼ばれている。

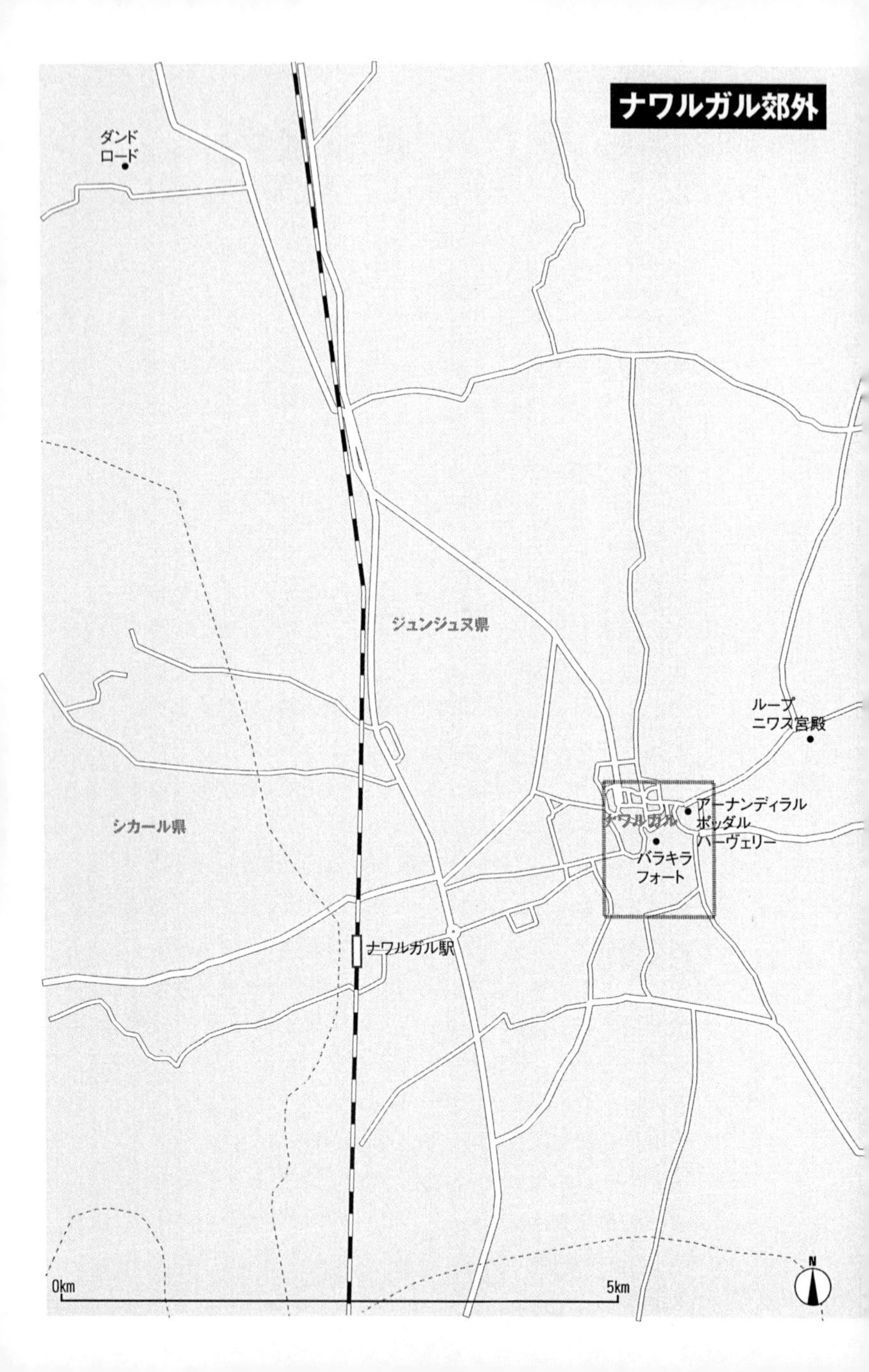
ナワルガル郊外
ダンド
ロード
ジュンジュヌ県
シカール県
ループ
ニワス宮殿
アーナンディラル
ポッダル
ハーヴェリー
ナワルガル
バラキラ
フォート
ナワルガル駅
0km
5km
N

ナワルガル
バグトンチョティ
ハーヴェリー
カマルモラルッカ
ハーヴェリー
アーナンディラル
ポッダル
ハーヴェリー
バザール
ラグナート
ジー寺院
ゴピナート
寺院
ナワルガル
バラキラ
フォート
アアト
ハーヴェリー
N
0m
500m

アーナンディラル・ポダッル・ハーヴェリー ★★☆

Dr. Ramnath A. Podar Haveli Museum／ⓗ आनंदी लाल पोद्दार हवेली
ⓤ اے پودار حویلی میوزیم

シェカワティでもっとも美しいハーヴェリーにもあげられるアーナンディラル・ポッダル・ハーヴェリー。1902年に商人アーナンディラル・ポッダルによって建てられた2階建てのハーヴェリーで、彫刻がほどこされた木製の門から入ると、商談に使われたバイタク(前庭)がある。その奥は家族用の中庭で、壁面の隅々までフレスコ画で埋められ、人物、動物、インド神話、農村部の様子など、その数はあわせて750枚以上になるという。またアーナンディラル・ポッダル・ハーヴェリーの内部は、ラジャスタンの生活や城、民俗、工芸品などを紹介するギャラリーとなっていて、現在は博物館という要素が色濃い。この地は旧市街東門のポッダル門の外にあたり、19世紀末以降開発が進んだナヤ・バザール(新バザール)に位置する。

カマル・モラルッカ・ハーヴェリー ★☆☆

Kamal Morarka Haveli Museum／ⓗ कमल मोरारका हवेली संग्रहालय
ⓤ کمال مورارکا حویلی میوزیم

1900年、ジャイラームダースジー・モラルッカによって建てられた、ナワルガルを代表するハーヴェリーのカマル・モラルッカ・ハーヴェリー。モラルッカ家はもともとシカールにいたが、1813年にこの街に移住してきて、ハー

★★☆
ナワルガル *Nawalgarh*
アーナンディラル・ポダッル・ハーヴェリー *Dr. Ramnath A. Podar Haveli Museum*

★☆☆
カマル・モラルッカ・ハーヴェリー *Kamal Morarka Haveli Museum*
バラキラ・フォート *Bala Kila Fort*
ゴピナート寺院 *Gopinath Mandir*
アアト・ハーヴェリー *Aath Haveli*
ループ・ニワス宮殿 *Roop Niwas Palace*
ダンドロード *Dundlod*

ヴェリー、寺院、井戸をふくむ多くの建物を建設してきた。外来客をもてなし商談を行なう男性のための前庭と、女性が料理や洗濯などに従事する後庭からなり、壁面にはフレスコ画で彩られている。この一族は、財をなしたあと、ムンバイに移住していった。ナヤ・バザールに位置する。

バラキラ・フォート ★☆☆
Bala Kila Fort／㊨बाला किला／㋒بالا قلعہ

ナワルガルを築いたタクル・ナワル・シン（在位1742～79年）によって1760年に造営されたバラキラ・フォート（ナワルガル・フォート）。地方領主の暮らした邸宅で、街はこのフォートをとり囲むようにつくられてきた。野菜や穀物の売買がバラキラ・フォートの前庭で行なわれ、そこは領主と商人、住民が接する場でもあった。

ゴピナート寺院 ★☆☆
Gopinath Mandir／㊨गोपीनाथ मंदिर／㋒گوپی ناتھ مندر

ナワルガルを築いたタクル・ナワル・シン（在位1742～79年）によって建てられたゴピナート寺院。ゴピナートはシェカワティ・ラージプートの信仰したクリシュナ神のことで、街の守護神だった。

アアト・ハーヴェリー ★☆☆
Aath Haveli／㊨आठ हवेली／㋒آٹھ حویلی

ナワルガル旧市街西部に立つ邸宅アアト・ハーヴェリー。アアトとはヒンディー語で「8」を意味し、一族の兄弟8人がそれぞれ暮らせるように8つの邸宅がならんでいた（実際は7つが建設された）。1900年ごろの創建で、壁面は神話やラージプート男性、動物などの絵でおおわれ、道路をはさんで近くにモラルッカ家のハーヴェリーも位置する。

ループ・ニワス宮殿 ★☆☆

Roop Niwas Palace　㋪रूप निवास／㋒روپ نواس محل

周囲に田園風景が広がる、街の東郊外1kmに位置するループ・ニワス宮殿。1928年、ワル・マダン・シンが、ナワルガル王家の離宮と厩舎をループ・ニワス宮殿として再建した。1981年にホテルとして開館した。

ダンドロード ★☆☆

Dundlod／㋪डुण्डलोद　㋒ڈنڈلود

サルドゥル・シン（在位1721～42年）の末男ケシャリ・シンによって1750年に築かれたダンドロード。ナワルガルから北西6kmほどの距離で、ラージプートとムガル様式のフォートを中心に、ゴエンカ家のハーヴェリーなどが見られる（ナワルガルの商人ゴエンカ家はこの地に移住した）。1888年に建てられたラム・ダット・ゴエンカのチャトリ、1911年にゴエンカによるサティナラヤン寺院などが位置するほか、ダンドロードで繁殖されたマールワーリー馬も名高い。

॥मल्लवध॥

Sikar

シカール城市案内

旧ジャイプル藩王国のなかで
もっとも裕福と言われたシカール
ヒンドゥー寺院やハーヴェリーが残る

シカール ★☆☆

Sikar ⓗसीकर ⓤ[illegible]

　ジャイプルの北西115km、ジュンジュヌ、チュルーとともにシェカワティ地方を構成するシカール。シェカワティ地方一帯をおさめたジュンジュヌのサルドゥル・シンの息子バハドゥール・シンが1687年、「ヴェール・バーンカ・バス」と呼ばれていたこの地（領地）をダウラット・シン（在位1687～1721年）にあたえた。その子シヴ・シン（在位1721～48年）は本格的に街を整備し、1724年がシカールのはじまりだとされている。シヴ・シンは、ファテープルのイスラム太守（ナワブ）を倒してラージプートのものにするなど、有能な指導者で、シカールの宮殿、街、寺院が整備された。シカールでは、その後も有能なラオ（王）が続き、商人を誘致して商業を発展させると、デヴィ・シン（～1795年）の時代に最高の繁栄を迎え、ジャイプルの王はシカールの王に「ラオラジャ」という称号を送った（ジャイプルにとって、ケトリのラジャとともにシェカワティでもっとも重要な街だった）。シカールの王族は、この街を出てラームガルやラクシュマンガルといった新たな街を築いたほか、他のシェカワティの街と同様、マールワーリー商人を輩出し、成功した彼らは故郷のシカールに寺院やフレスコ画で彩られた邸宅を建てた。旧市街は井戸に続く東のバオリ門、北のファテープル

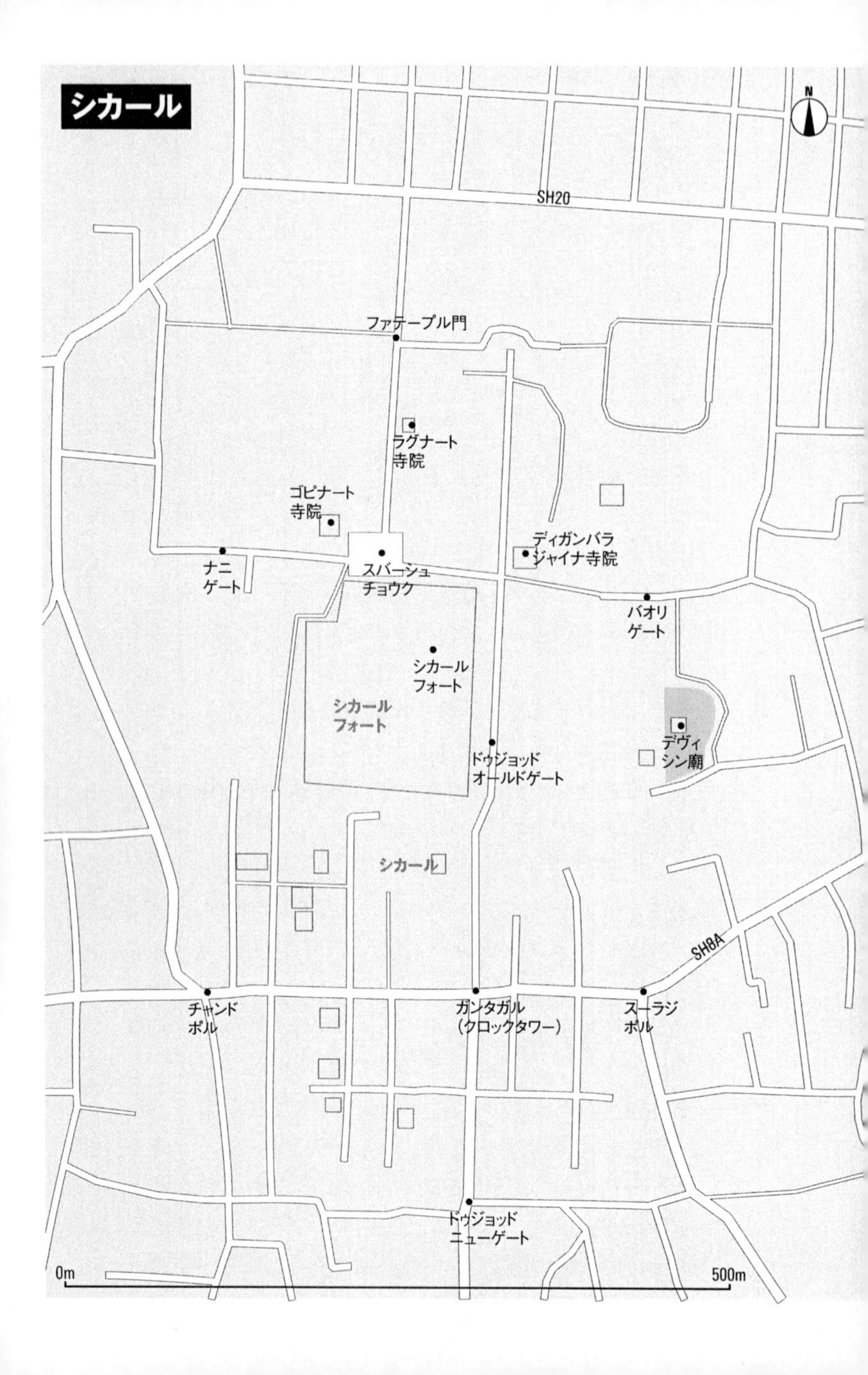
シカール
N
SH20
ファテープル門
ラグナート
寺院
ゴピナート
寺院
ディガンバラ
ジャイナ寺院
ナニ
ゲート
スバーシュ
チョウク
バオリ
ゲート
シカール
フォート
シカール
フォート
デヴィ
シン廟
ドゥジョッド
オールドゲート
シカール
SH8A
チャンド
ポル
ガンタガル
（クロックタワー）
スーラジ
ポル
ドゥジョッド
ニューゲート
0m
500m

に続くファテープル門、太陽(東)と月(西)の方角の対応するスーラジ門とチャンド門をはじめとする7つの門をめぐらせていた。

シカール・フォート ★☆☆

Sikar Fort ⓔसीकर किला ⓤسیکر قلعہ

街の中心に位置するシカール王が暮らした宮殿シカール・フォート。1687年にこの街を築いたダウラット・シン(在位1687～1721年)の時代に建設がはじまり、その息子シヴ・シン(在位1721～48年)が完成させた。デヴィ・シン(～1795年)など、その後の王がつぎつぎに改装を続けた複合建築で、シカールの街はこのフォートを中心につくられている。人の集まるスバーシュ・チョウクが隣接する。

ゴピナート寺院 ★☆☆

Gopinath Mandir／ⓔगोपीनाथ मंदिर／ⓤگوپی ناتھ مندر

シカール・フォートの目前、スバーシュ・チョウクに立つゴピナート寺院。クリシュナ神に捧げられたこの寺院は、1724年、実質的にこの街を開基したシヴ・シン(在位1721～48年)によって建てられた。ゴピナート寺院にまつられた笛をふくクリシュナ神はシカールの守護神とされ、18世紀のシカール王の肖像画などが見える。

ディガンバラ・ジャイナ寺院 ★☆☆

Shree Digmber Jain Mandir／ⓔश्री दिगंबर जैन मंदिर／ⓤدگمبر جین مندر

不殺生や菜食主義といった禁欲主義的な教えをもつ

★☆☆
シカール *Sikar*
シカール・フォート *Sikar Fort*
ゴピナート寺院 *Gopinath Mandir*
ディガンバラ・ジャイナ寺院 *Shree Digmber Jain Mandir*
ラグナート寺院 *Raghunath Ji Mandir*
ガンタ・ガル(クロック・タワー) *Ghanta Ghar(Clock Tower)*
デヴィ・シン廟 *Chhatri of Devi Singh*

ジャイナ教のディガンバラ・ジャイナ寺院。ジャイナ教の宗派のなかでもより厳格な空衣派のもので、ジャイナ教徒は交易商人や宝石商人として活躍してきた。このディガンバラ・ジャイナ寺院は1860年に建設され、ジャイナ教特有の建築ではなく、ラジャスタン様式の建築となっている（四隅の垂れさがったバングラ屋根やバルコニーをもつ）。壁面は鮮やかに彩色されている。

ラグナート寺院 ★☆☆

Raghunath Ji Mandir ㊥रघुनाथजी मंदिर ㋒رگھوناتھ جی مندر

シカールを代表する壮麗なヒンドゥー寺院のラグナート寺院。壮麗なラジャスタン宮殿式の建築で、内部にはクリシュナ神がまつられている。ラクシュマン・シン夫人のラートールジーによって1845年に建てられたことから、ラートールジー・カ・マンディルともいう。

ガンタ・ガル（クロック・タワー） ★☆☆

Ghanta Ghar（Clock Tower） ／㊥घंटा घर／㋒گھنٹہ گھر

フォート門前のスバーシュ・チョウクとともにシカール旧市街の基点となっているガンタ・ガル（クロック・タワー）。20世紀に入ってから建てられた堂々とした時計塔は、正方形の平面で、中央にバルコニーがあり、上部はピラミッド型の屋根をもつ。このガンタ・ガルはシカール旧市街に時を告げる役割を果たし、碁盤の目状の街区をもつ旧市街にあって、東のスーラジ門と西のチャンド門、北のオールド・ドゥジョド門と南のニュー・ドゥジョド門を結ぶ紐帯地点となっている。

デヴィ・シン廟 ★☆☆

Chhatri of Devi Singh ㊥देवी सिंह की छतरी／㋒دیوی سنگھ کی چھتری

18世紀にジャイプル地方のなかでもっとも裕福と言われたシカール黄金時代を築いたデヴィ・シン（～1795年）

道を説明する少女、後ろに隠れる照れ屋の少女

シェカワティ料理、ライス、チャパティとカレー

バザールでやりとりをする店主と買いもの客

仲良しふたり組、シェカワティのバス停にて

の墓廟。デヴィ・シンは武力にも優れた有能な統治者で、街を発展させ、新たにラームガルの街を築いている。デヴィ・シン廟のドームには、ジャイプルの芸術家による壁画も見える。市街東部に位置するこのチャトリのほかに、シカールの他のラジャ（王）のチャトリがならぶ。

॥अथसुबनबिहारकोमिलन॥ ॥सवईया॥ ॥देहुरीकालिहगईकहिदैनयमारजवालीनरोक
तिफटी॥छोडानहींमयुछोडाजोयापैंछुडावैबिलोकनिलाजलपेटी॥बातसमांरिकहोसुनि
हैकोउजांनतहोयहकौनकीबेटी॥जांनतहैहमजांनकीहैपरितोहिनजांनतकौनकीबे
टी॥ ॥५॥

Churu

チュルー城市案内

ジュンジュヌ、シカールとともに
シェカワティ地方を構成するチュルー
ジャイナ商人のハーヴェリーが残る

チュルー ★☆☆

Churu／ⓗचुरू　ⓤچورو

タール砂漠のちょうど入口にあたり、植物が少なく、半砂漠地帯に位置する街チュルー。1620年、ラージプートのニルバン族によって設立された街で、王室ではなく、商人の街として知られてきた(それ以前からこの地方に暮らしていたジャート農民の族長チュハルーから名前はとられている)。ファテープルの商人ポッダルとバグラがチュルーに移住したことで、街は大いに栄え、多くのマールワーリー商人を生んだ。1948年まで西のビカネール藩王国の支配下にあり、藩王国内で第2の街だった。20世紀のビルマで、材木業と金融業で莫大な富を築いたバグワンダス・バグラもこの街を出身とする。

マルジ・カ・カムラ ★☆☆

Malji Ka Kamra／ⓗमलजी का कमरा／ⓤملجی کا کمرہ

チュルーの商人マルジ・コタリによって1925年に建てられた邸宅マルジ・カ・カムラ。迎賓館として利用されていたが、現在はホテルとして開館している。インドではめずらしいイタリア風の宮殿建築となっている。

N
マントリ
チャトリ
チュルー
アアトカンブ
チャトリ
チュルー
チュルー
フォート
バザール
ガンタガル
（クロックタワー）
ディガンバラ
ジャイナ寺院
カンハイヤルバグラ
ハーヴェリー
コタリ
ハーヴェリー
スラナダブル
ハーヴェリー
マルジカ
カムラ
0m
500m

コタリ・ハーヴェリー ★☆☆

Kothari Haveli／ⓗ कोठारी हवेली／ⓤ کوٹھاری حویلی

ジャイナ教徒の商人であるコタリ家の邸宅コタリ・ハーヴェリー。1915年ごろに建てられたハーヴェリーで、壁画と鏡細工が見られる。

スラナ・ダブル・ハーヴェリー ★☆☆

Surana Double Haveli　ⓗ सुराना डबल हवेली／ⓤ سورانا ڈبل حویلی

1870年に建てられたスラナ兄弟によるスラナ・ダブル・ハーヴェリー。コタリ家と同じジャイナ教徒の商人で、チュルーを中心に活動した。「ハワ・マハル（風の宮殿）」や「1111の窓のハーヴェリー」ともいう。

チュルー・フォート ★☆☆

Churu Fort　ⓗ चूरु किला／ⓤ چورو قلعہ

堂々とした城門をもつチュルーのフォート。1739年に設立されたチュルーをおさめる地方領主が、この地に暮らした。ビカネールの進撃を受け、1813年に降伏し、以来、ビカネール藩王国の版図に組み込まれた。

ガンタ・ガル（クロック・タワー） ★☆☆

Ghanta Ghar（Clock Tower）　ⓗ घंटा घर／ⓤ گھنٹہ گھر

メインバザールに立つ白い時計塔のガンタ・ガル（クロッ

★★☆

カンハイヤル・バグラ・ハーヴェリー *Kanhaiyalal Bagla Haveli*

★☆☆

チュルー *Churu*
マルジ・カ・カムラ *Malji Ka Kamra*
コタリ・ハーヴェリー *Kothari Haveli*
スラナ・ダブル・ハーヴェリー *Surana Double Haveli*
チュルー・フォート *Churu Fort*
ガンタ・ガル（クロック・タワー） *Ghanta Ghar（Clock Tower）*
アアト・カンブ・チャトリ *Ath Khambha Chhatri*
ディガンバラ・ジャイナ寺院 *Digmber Jain Mandir*
マントリ・チャトリ *Mantri Chhatri*

ク・タワー)。小さな広場には19世紀末に建てられたガンガ寺院やハーヴェリーなどが残る。

カンハイヤル・バグラ・ハーヴェリー ★★☆

Kanhaiyalal Bagla Haveli／ⓗ कन्हैयालाल बागला हवेली／ⓤ کنہیالال باگلا حویلی

格子細工と建築で、シェカワティ地方屈指の美しいハーヴェリーと言われるカンハイヤル・バグラ・ハーヴェリー。1880年に建てられたラジャスタン宮殿様式の建築で、連なる柱、ラクダに乗って逃げる恋人たち、ドーラとマルなど、ラジャスタンの民話が描かれた壁画が名高い。メインバザールの南側に位置する。

アアト・カンブ・チャトリ ★☆☆

Ath Khambha Chhatri　ⓗ आठ खंभा छतरी／ⓤ آٹھ کھمبا چھتری

1776年にカンデラ(シェカワティ地方)の石工によって建てられたアアト・カンブ・チャトリ。8つの柱がドーム屋根を支え、ドーム内部には壁画が残り、ラーマやクリシュナが描かれている。

ディガンバラ・ジャイナ寺院 ★☆☆

Digmber Jain Mandir　ⓗ दिगंबर जैन मंदिर　ⓤ ڈگمبر جین مندر

高い白色のシカラ屋根をもつディガンバラ・ジャイナ寺院。チュルーはジャイナ教徒の商人の力が強く、街の形成にも寄与した。広々とした中庭をもつ。

マントリ・チャトリ ★☆☆

Mantri Chhatri　ⓗ मंत्री छतरी　ⓤ منتری چھتری

1871年に建てられたマントリ家の墓廟マントリ・チャトリ。基壇のうえにチャトリが載るシェカワティ地方の建築で、中央に大きなドーム、周囲にバルコニーをめぐらせる。壁面にはフレスコ画が見える。

Around Churu

チュルー郊外城市案内

デリーとビカネールのあいだに位置するチュルー
利にさとい商人たちが活躍し
マールワーリー商人へと成長していった

セタニ・カ・ジョハラ ★☆☆

Sethani Ka Johara ／ ㋪ सेठानी का जोहड़ा ／ ㋒ سیٹھانی کا جوہڑا

チュルーの西5kmほどにある貯水池セタニ・カ・ジョハラ。1899年に豪商バグワンダス・バグラの未亡人によってつくられ、モンスーンから次のモンスーンまで水をたくわえることができる（飢饉救済プロジェクトの一環として造営された）。様々な鳥や動物が訪れる。

ラームガル ★☆☆

Ramgarh ／ ㋪ रामगढ़ ／ ㋒ رام گڑھ

ラームガルは1791年、チュルーから移住したポッダル家チャタルブージの商業活動で発展した街（チュルー領主とのあいだに税をめぐる諍いが起こり、移住を決めた）。ポッダル家は毛織物や穀物をあつかって財をなし、ラームガルは「豪商の街」と知られた。19世紀のインドでもっとも裕福な街のひとつとも言われ、インドの他のラームガルと区別するために「セトン・カ・ラームガル（富裕層のラムガル）」とも呼ばれていた。当時のラム・ゴパール・チャトリ（慰霊碑）やポッダルのハーヴェリー、ナトワルジー寺院、ガンガ寺院が残る。

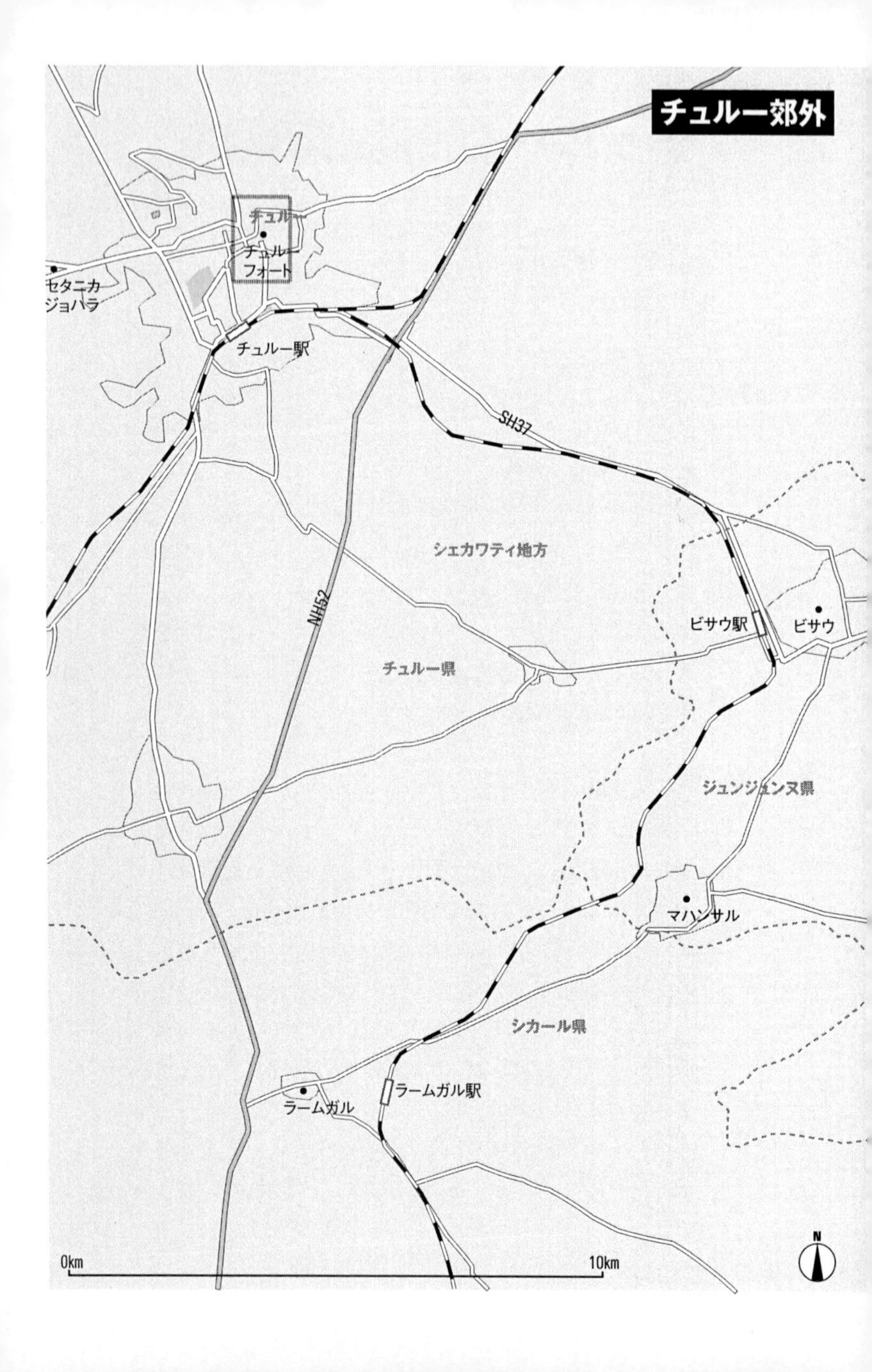

チュルー郊外
チュルー
チュルー
フォート
セタニカ
ジョハラ
チュルー駅
SH37
シェカワティ地方
NH52
ビサウ駅
ビサウ
チュルー県
ジュンジュンヌ県
マハンサル
シカール県
ラームガル駅
ラームガル
0km
10km
N

ビサウ ★☆☆

Bissau／Ⓗ बिसाऊ　Ⓤ [illegible]

　ビサウは、シェカワティ地方中興の祖であるジュンジュヌのサルドゥル・シン（在位1721〜42年）が自身の末弟ケシャリ・シンにあたえたことにはじまる。ケシャリ・シンは、城砦フォートと城壁を築いて、1746年、この街をビサウと名づけた。ビサウという名称はこの地に暮らすビシャラ・ジャートからとったもので、ビシャラ・ジャート・キ・ダニ（ビシャラ・ジャートの村）とも呼ばれていた。1787年には孫のシャム・シンが領主となり、宗主のジャイプル宮廷政治でも影響力をもったという。

マハンサル ★☆☆

Mahansar　Ⓗ महनसर　Ⓤ [illegible]

　ジュンジュヌとファテープルの中間地点に位置する小さな街のマハンサル。1768年にフォートが建てられたのち、ラームガルのポッダル家たちの商業活動で発展した。1836〜1851年に築かれたハーヴェリーや寺院が残る。

★☆☆
セタニ・カ・ジョハラ *Sethani Ka Johara*
ラームガル *Ramgarh*
ビサウ *Bissau*
マハンサル *Mahansar*
チュルー *Churu*
チュルー・フォート *Churu Fort*

Around Shekhawati

シェカワティ郊外城市案内

シェカワティ・ラージプートの一族は
シェカワティ各地に街を築いていき
そこに宝石のようなハーヴェリーをつくった

ラクシュマンガル ★☆☆

Laxmangarh ㊑लक्ष्मणगढ़ ㋒لکشمن گڑھ

シカールのシェカワティ・ラージプートであるラクシュマン・シンによって1806年に設立されたラクシュマンガル(「ラクシュマンの城」)。この街は宗主国ジャイプルの街のように縦横の道路が整然と走り、格子状の街区をもつシェカワティでは特異なプランとなっている。キャラバン交易で繁栄した街の周囲は城壁で囲まれ、9つの門を配し、ポッダル家をはじめとするハーヴェリーが残る。西にそびえる丘陵のうえにラクシュマンガル・フォートが立つ。

ラタンガル ★☆☆

Ratangarh/㊑रतनगढ़ ㋒رتن گڑھ

ビカネール王族に連なるスラート・シンによって18世紀初頭に創建されたラタンガル。1820年代にビカネール王族のラタン・シンにちなんで、ラタンガルと命名され、デリー、ジョードプル、ビカネールを結ぶ交易都市として発展してきた。ヴィシュヌ神に捧げられたラグナート寺院が立つほか、バザールに時計塔やハーヴェリーが残る。

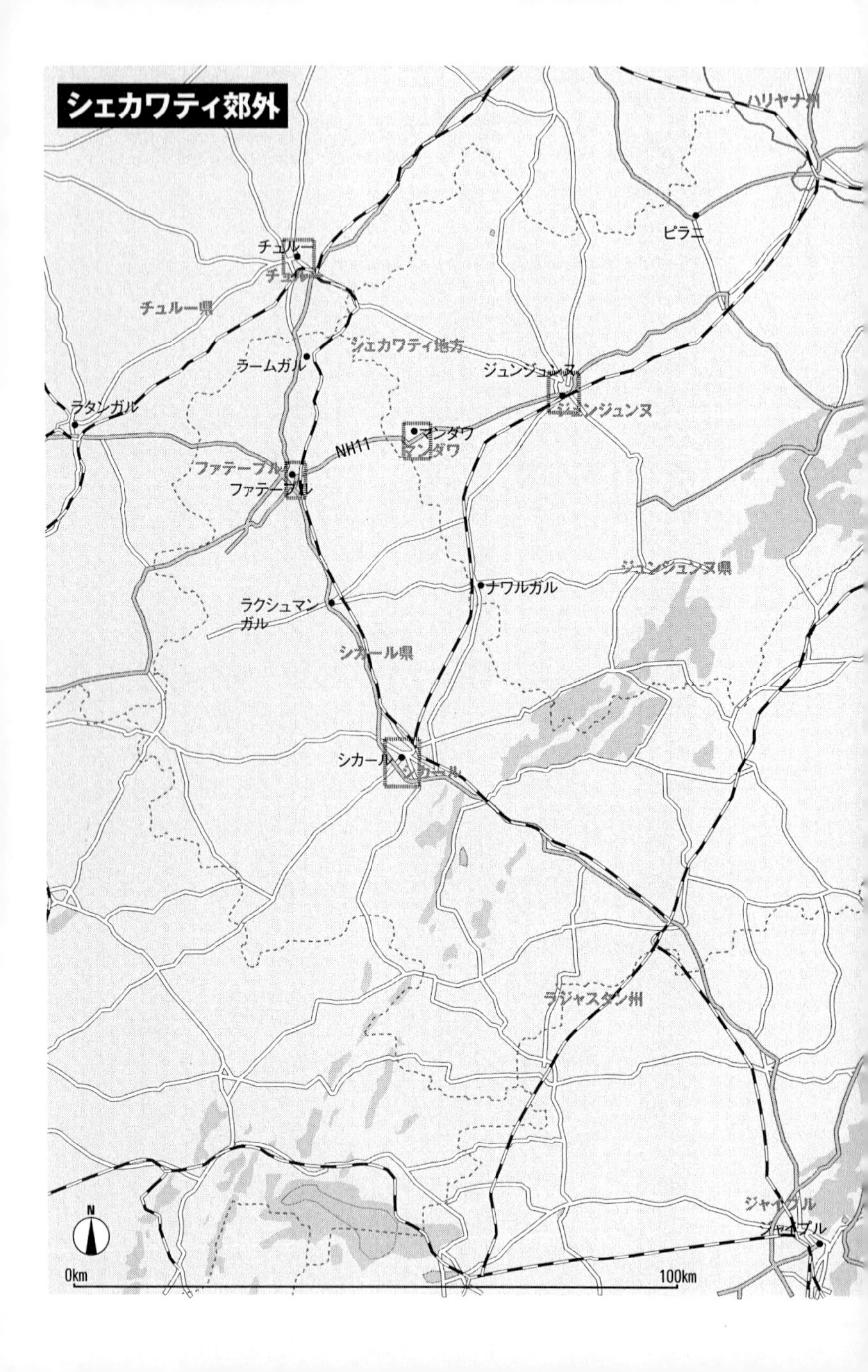
シェカワティ郊外
ハリヤナ州
ピラニ
チュルー
チュルー
チュルー県
シェカワティ地方
ラームガル
ジュンジュヌ
ジュンジュヌ
ラタンガル
マンダワ
マンダワ
NH11
ファテープル
ファテープル
ジュンジュヌ県
ナワルガル
ラクシュマンガル
シカール県
シカール
シカール
ラジャスタン州
ジャイプル
ジャイプル
N
0km
100km

ピラニ ★☆☆

Pilani／ⓗपिलानी　ⓤپلانی

インド屈指のビルラ財閥を生んだ街として知られるピラニ。シブ･ナラヤン･ビルラは故郷ピラニからムンバイへ向かい、その後、G･D･ビルラ(1894～1983年)は紡績やジュート工業などで事業を拡大した(マールワーリー商人から財閥化した)。ビルラ家はマハトマ･ガンジーを財政的に支援したほか、故郷に投資し、ピラニは現在、大学都市となっている。インド科学技術の展示が見られる1954年設立のビルラ博物館、研究と質の高い人材の輩出で成果をあげてきたビルラ工科大学(B.I.T.S.)が位置する。

★★★
マンダワ *Mandawa*
ファテープル *Fatehpur*
ジュンジュヌ *Jhunjhunu*

★★☆
ナワルガル *Nawalgarh*

★☆☆
シカール *Sikar*
チュルー *Churu*
ラームガル *Ramgarh*
ラクシュマンガル *Laxmangarh*
ラタンガル *Ratangarh*
ピラニ *Pilani*

॥२१॥ बिलवमंगल॥ श्रीक्रीसन रूपा हाथी॥ तीन जाइगे बंधांणो॥ एक तं
तं मला सुं बंधांणा॥ जोगी स्वरांश चित सुं बंधांणा॥ गोपांगनारा कुच सुं बं
धांणा॥

Marwari

マールワーリーの成功

20世紀、インド経済の半分以上とも
言われる富を手にしていたマールワーリー商人
シェカワティ発、インド全土へ

新たな市場、街の形成

インドでは各都市を結ぶ街道の整備とともに、15世紀ごろから商業街が形成され、この時代を起源とするシェカワティの街も多い。のちにマールワーリー商人として活躍するシェカワティの商人カースト「アグラワール」はもともとハリヤナにいたと言われ、イスラム勢力の侵攻とともに南下したとも、シェカワティの地の利に注目して南下したともいう。また18世紀後半以降、経済や社会の変化を受けて、街や村にある常設小売市バザールに対して、新たな穀物取引所の卸市町ガンジが現れた。インド・ネパール国境のネパールガンジ、ビールガンジといった「ガンジ」を語尾にもつ街は、この穀物市場をはじまりとする。

マールワーリー商人とは

マールワーリーという名前はジョードプルを中心とした地域名マールワールからとられ、近代、ムンバイやコルカタなどイギリス植民都市で成功したラジャスタン出身の商人をさす。ビルラ、シンハーニヤー、モディー、バングルなどがマールワーリー出身の財閥で、シェカワティは

デーヴァナーガリー文字で記された看板

野菜がならぶマンダワのバザール

正装姿の男性、マンダワのフォートにて

このマールワーリー商人を多く輩出した地と知られる。マールワーリーの特徴は、地縁、血縁を何より重視し、インド中に広がる信用ネットワークを商売に利用してきたこと。同じ故郷、同じ一族、同じ言葉の商人たちは互いに裏切らず、借金の踏み倒しをしない信用力があった。このマールワーリー商人は19世紀から20世紀にかけて強大な勢力となり、インドを独立に導いたマハトマ・ガンジーを財政面で支えた。

シェカワティからコルカタへ

はじめてマールワーリー商人が、ラジャスタンからベンガルに進出したのは1564年のことだという。マールワーリー商人ジャガトセートが軍需物資の調達のためにムガル帝国の都ムルシダバードへおもむき、ここで銀行家として成功した。イギリス東インド会社が勢力を広げるなか、1820年ごろから、これといった産業のないシェカワティより、ムンバイやコルカタへ出稼ぎに出る者が増え、ひとりが成功すると、残りの家族を出稼ぎ先に呼び寄せた。このあいだデリー、コルカタ間の鉄道開通もあって、女性や子どもの長距離移動もたやすくなり、シェカワティからコルカタへの移住は進んだ。当初、植民都市で事務員や下請け仕事をはじめたが、やがて自らのビジネスを立ちあげ、成功した者は故郷シェカワティに財を投じるようになった。一方で地元のベンガル人からは、利にさとい人たちと嫉妬の眼差しを受けていた。

ビルラ財閥

インド有数の大財閥と知られるビルラ財閥は、シェカワティのピラニを出自とする。インド大反乱(1857〜59年)のあと、シブ・ナラヤン・ビルラは故郷ピラニからラクダで20日間かけてアーメダバードにたどり着き、そこから植民都市ムンバイへ向かった（この1860年がビルラ財閥の誕生の年）。1916年、綿紡績で成功したビルラは、近代工業化の波にうまく乗り、金融、製糸業、繊維機械、自動車とつぎつぎに事業を拡大した。やがてゾロアスター教徒のタタ財閥とならんでインド最大の財閥となり、インド独立運動にあたって国民会議派を財政的に支援した。1948年、ガンジーが暗殺されたのは、ガンジーが身を寄せていたデリーのビルラ邸裏庭だった。

ハーヴェリーの宝庫シェカワティ地方

参考文献

『サティー伝統の真実』(田部昇/ウェブ版ゼミナール)
『ムガル期インドの国家と社会』(佐藤正哲/春秋社)
『「故郷」への投資:ラージャスターンの商業町と移動商人マールワーリー』(中谷純江/現代インド研究)
『インド旅の本』(山田和/平凡社)
『インド史の諸相』(二木敏篤/大明堂)
『インドの財閥』(加藤長雄/アジア経済研究所)
『ビルラ財閥の形成と発展』(三上敦史/大阪大學經濟學)
『ヨーロッパの壁絵デザイン』(松味利郎/東方出版)
『植民地経験の表象としてのハヴェーリー』(豊山亜希/近代世界の「言説」と「意象」)
『インド人ビジネスマンとヒンドゥー寺院運営』(田中鉄也/風響社)
『現代インドにおける「公益の仕事」としてのヒンドゥー寺院運営』(田中鉄也/南アジア研究)
『故郷のための寺院、故郷としての寺院』(田中鉄也/関西学院大学先端社会研究所紀要)
『「土着の伝統」と「複製の近代」:ハヴェーリー壁画にみる英領インド期の大衆美術とマールワーリー・アイデンティティー』(豊山亜希/南アジア研究)
『世界大百科事典』(平凡社)
『Rajasthan : the painted walls of Shekhavati』(Francis Wacziarg・Aman Nath/Croom Helm)
『Rajasthan : exploring painted Shekhawati』(Ilay Cooper/Niyogi Books)
『The painted towns of Shekhawati』(Ilay Cooper/Prakash Books)
『Shekhawati』(Lakhan Gusain/Lincom Europa 2001 Languages of the world, Materials)
『Rajasthan, the guide to painted towns of Shekhawati & Churu』(Ilay Cooper/Girish Chandra Sharma)
State Portal Government of Rajasthan https://rajasthan.gov.in/
Mandawa Hotels http://mandawahotels.com/
Hotel Mandawa Haveli http://www.hotelmandawahaveli.com/
THE MESSENGER HOTEL http://www.themessengerhotels.com/
Jhunjhunu - the official portal of Jhunjhunu District, Rajasthan https://jhunjhunu.rajasthan.gov.in/
Shri Rani Sati Dadi Jhunjhunu Temple Sati Mata Mandir http://www.dadisati.in/
Shekhawati – The land of Shekhawat Rajputs | Shekhawati ... https://www.shekhawati.in/
Dargah Hazrat Khwaja Haji Muhammed Najamuddeen Sulaimani Chishti Al-Farooqi m.me/khwajahajinajam
qureshifarm http://www.qureshifarm.com/
Khetri Mahal | Jhunjhunu ki Shaan https://khetrimahal.wordpress.com/
Podar Haveli Museum www.podarhavelimuseum.org
Painted Heritage Kamal Morarka Haveli Musuem http://www.kamalmorarkahavelimuseum.com/
Roop Niwas Kothi Heritage Hotel In Rajasthan India https://www.roopniwaskothi.com/
Welcome to maljikakamra.com http://www.maljikakamra.com/
IGNCA | Indira Gandhi National Centre for the Arts http://ignca.gov.in/
OpenStreetMap
(C)OpenStreetMap contributors
挿絵 The Metropolitan Museum of Art所蔵 https://www.metmuseum.org/

まちごとパブリッシングの旅行ガイド

Machigoto INDIA , Machigoto ASIA , Machigoto CHINA

北インド-まちごとインド

001　はじめての北インド
002　はじめてのデリー
003　オールド・デリー
004　ニュー・デリー
005　南デリー
012　アーグラ
013　ファテープル・シークリー
014　バラナシ
015　サールナート
022　カージュラホ
032　アムリトサル

016　アジャンタ
021　はじめてのグジャラート
022　アーメダバード
023　ヴァドダラー(チャンパネール)
024　ブジ(カッチ地方)

東インド-まちごとインド

002　コルカタ
012　ブッダガヤ

西インド-まちごとインド

001　はじめてのラジャスタン
002　ジャイプル
003　ジョードプル
004　ジャイサルメール
005　ウダイプル
006　アジメール(プシュカル)
007　ビカネール
008　シェカワティ
011　はじめてのマハラシュトラ
012　ムンバイ
013　プネー
014　アウランガバード
015　エローラ

南インド-まちごとインド

001　はじめてのタミルナードゥ
002　チェンナイ
003　カーンチプラム
004　マハーバリプラム
005　タンジャヴール
006　クンバコナムとカーヴェリー・デルタ
007　ティルチラパッリ
008　マドゥライ
009　ラーメシュワラム
010　カニャークマリ
021　はじめてのケーララ
022　ティルヴァナンタプラム
023　バックウォーター(コッラム～アラップーザ)

024　コーチ（コーチン）
025　トリシュール

ネパール-まちごとアジア

001　はじめてのカトマンズ
002　カトマンズ
003　スワヤンブナート
004　パタン
005　バクタプル
006　ポカラ
007　ルンビニ
008　チトワン国立公園

バングラデシュ-まちごとアジア

001　はじめてのバングラデシュ
002　ダッカ
003　バゲルハット（クルナ）
004　シュンドルボン
005　プティア
006　モハスタン（ボグラ）
007　パハルプール

パキスタン-まちごとアジア

002　フンザ
003　ギルギット（KKH）
004　ラホール
005　ハラッパ
006　ムルタン

イラン-まちごとアジア

001　はじめてのイラン
002　テヘラン
003　イスファハン
004　シーラーズ
005　ペルセポリス
006　パサルガダエ（ナグシェ・ロスタム）
007　ヤズド
008　チョガ・ザンビル（アフヴァーズ）
009　タブリーズ
010　アルダビール

北京-まちごとチャイナ

001　はじめての北京
002　故宮（天安門広場）
003　胡同と旧皇城
004　天壇と旧崇文区
005　瑠璃廠と旧宣武区
006　王府井と市街東部
007　北京動物園と市街西部
008　頤和園と西山
009　盧溝橋と周口店
010　万里の長城と明十三陵

天津-まちごとチャイナ

001 はじめての天津
002 天津市街
003 浜海新区と市街南部
004 薊県と清東陵

上海-まちごとチャイナ

001 はじめての上海
002 浦東新区
003 外灘と南京東路
004 淮海路と市街西部
005 虹口と市街北部
006 上海郊外（龍華・七宝・松江・嘉定）
007 水郷地帯（朱家角・周荘・同里・甪直）

河北省-まちごとチャイナ

001 はじめての河北省
002 石家荘
003 秦皇島
004 承徳
005 張家口
006 保定
007 邯鄲

江蘇省-まちごとチャイナ

001 はじめての江蘇省
002 はじめての蘇州
003 蘇州旧城
004 蘇州郊外と開発区
005 無錫
006 揚州
007 鎮江
008 はじめての南京
009 南京旧城
010 南京紫金山と下関
011 雨花台と南京郊外・開発区
012 徐州

浙江省-まちごとチャイナ

001 はじめての浙江省
002 はじめての杭州
003 西湖と山林杭州
004 杭州旧城と開発区
005 紹興
006 はじめての寧波
007 寧波旧城
008 寧波郊外と開発区
009 普陀山
010 天台山
011 温州

福建省-まちごとチャイナ

001 はじめての福建省
002 はじめての福州
003 福州旧城
004 福州郊外と開発区
005 武夷山

006　泉州
007　廈門
008　客家土楼

広東省-まちごとチャイナ

001　はじめての広東省
002　はじめての広州
003　広州古城
004　天河と広州郊外
005　深圳（深セン）
006　東莞
007　開平（江門）
008　韶関
009　はじめての潮汕
010　潮州
011　汕頭

遼寧省-まちごとチャイナ

001　はじめての遼寧省
002　はじめての大連
003　大連市街
004　旅順
005　金州新区
006　はじめての瀋陽
007　瀋陽故宮と旧市街
008　瀋陽駅と市街地
009　北陵と瀋陽郊外
010　撫順

重慶-まちごとチャイナ

001　はじめての重慶
002　重慶市街
003　三峡下り（重慶～宜昌）
004　大足
005　重慶郊外と開発区

四川省-まちごとチャイナ

001　はじめての四川省
002　はじめての成都
003　成都旧城
004　成都周縁部
005　青城山と都江堰
006　楽山
007　峨眉山
008　九寨溝

香港-まちごとチャイナ

001　はじめての香港
002　中環と香港島北岸
003　上環と香港島南岸
004　尖沙咀と九龍市街
005　九龍城と九龍郊外
006　新界
007　ランタオ島と島嶼部

マカオ-まちごとチャイナ

001　はじめてのマカオ
002　セナド広場とマカオ中心部
003　媽閣廟とマカオ半島南部
004　東望洋山とマカオ半島北部
005　新口岸とタイパ・コロアン

Juo-Mujin（電子書籍のみ）

Juo-Mujin香港縦横無尽
Juo-Mujin北京縦横無尽
Juo-Mujin上海縦横無尽
Juo-Mujin台北縦横無尽
見せよう! 上海で中国語
見せよう! 蘇州で中国語
見せよう! 杭州で中国語
見せよう! デリーでヒンディー語
見せよう! タージマハルでヒンディー語
見せよう! 砂漠のラジャスタンでヒンディー語

自力旅游中国Tabisuru CHINA

001　バスに揺られて「自力で長城」
002　バスに揺られて「自力で石家荘」
003　バスに揺られて「自力で承徳」
004　船に揺られて「自力で普陀山」
005　バスに揺られて「自力で天台山」
006　バスに揺られて「自力で秦皇島」
007　バスに揺られて「自力で張家口」
008　バスに揺られて「自力で邯鄲」
009　バスに揺られて「自力で保定」
010　バスに揺られて「自力で清東陵」
011　バスに揺られて「自力で潮州」
012　バスに揺られて「自力で汕頭」
013　バスに揺られて「自力で温州」
014　バスに揺られて「自力で福州」
015　メトロに揺られて「自力で深圳」

旅のインド文字

英語
ヒンディー語
ウルドゥー語

英語 = アルファベット
ヒンディー語 = デーヴァナーガリー文字
ウルドゥー語 = ウルドゥー文字

シェカワティ
Shekhawati

शेखावाटी
شیخواتی

マンダワ
Mandawa

मंडावा
منڈاوا

マンダワ・フォート
Mandawa Fort

मंडावा किला
منڈاوا قلعہ

バザール
Bazar

बाज़ार
بازار

ソンタリア門
Sonthalia Gate

सोंथलिया गेट
سنتھلیا گیٹ

アクラムカ・ハーヴェリー
Akhramka Haveli

अखरामका हवेली
اکرمکا حویلی

ホテル・マンダワ・ハーヴェリー
Hotel Mandawa Haveli

होटल मंडावा हवेली
ہوٹل منڈاوا حویلی

ラグナート寺院
Raghunath Mandir

रघुनाथ मंदिर
رگھوناتھ مندر

バンシダール・ネワティア・ハーヴェリー
Bansidhar Newatia Haveli

बंसीधर नेवतिया हवेली
بانسیڈار نیوٹیا حویلی

モハン・ラル・サラーフ・ハーヴェリー
Mohan Lal Saraf Haveli

मोहन लाल सराफ हवेली
موہن لال صراف حویلی

グラブ・ライ・ラディア・ハーヴェリー
Gulab Rai Ladia Haveli

गुलाब राय लादिया हवेली
گلاب رائے لادیہ حویلی

スネー・ラム・ラディア・ハーヴェリー
Sneh Ram Ladia Haveli

स्नेह राम लादिया हवेली
سنیہ رام لاڈیا حویلی

チョクハニ・ダブル・ハーヴェリー
Chokhani Double Haveli

चोखानी डबल हवेली
چوکھانی ڈبل حویلی

タクルジー寺院
Thakurji Mandir

ठाकुरजी मंदिर
ٹھاکر جی مندر

ムルムリア・ハーヴェリー
Murmuria Haveli

मुरमुरिया हवेली

مرمریہ حویلی

ゴエンカ・カ・チャトリ
Goenka Ka Chhatri

गोयनका का छतरी

گوئنکا کا چھتری

ハルラル・カ・ウェル
Harlal Ka Well

हरलाल का वेल

ہرلال کا باوری

ファテープル
Fatehpur

फतेहपुर

فتح پور

ゴエンカ・ダブル・ハーヴェリー
Goenka Double Haveli

गोयनका डबल हवेली

گوئنکا ڈبل حویلی

ハルラル・カ・ハーヴェリー
Harlal Ka Haveli

हरलाल का हवेली

ہرلال کا حویلی

ハルラル・カ・チャトリ
Harlal Ka Chhatri

हरलाल का छतरी

ہرلال کا چھتری

ナディンリー・プリンス・カルチャーセンター
Nadine Le Prince Cultural Centre(Nand Lal Devra Haveli)

नादिन ली प्रिंस हवेली

نادین لی پرنس ثقافتی مرکز

チャウハンの井戸
Chauhan Ka Well

चौहान का वेल

چوہان کا باوری

シンガニア・ハーヴェリー
Singhania Haveli

सिंघानिया हवेली

سنگھنیا حویلی

マハーヴィラ・プラサド・ゴエンカ・ハーヴェリー
Mahavir Prasad Goenka Haveli

महावीर प्रसाद गोयनका हवेली

مہاویر پرساد گوینکا حویلی

ジャガンナート・シンガニア・チャトリ
Jagannath Singhania Chhatri

जगन्नाथ सिंघानिया छतरी

جگن ناتھ سنگھنیا چھتری

ハルナンド・サラオギ・ハーヴェリー
Harnand Saraogi Haveli

हरनंद सरावगी हवेली

ہرنند سراوگی حویلی

ファテープル・フォート
Fatehpur Fort

फतेहपुर किला

فتح پور قلعہ

バワン・ティバリ・ハーヴェリー
Bavan Tibari Haveli

बावन तिबारी हवेली

باون تباری حویلی

ラム・ゴーパル・ガネリワラ・ハーヴェリー
Ram Gopal Ganeriwala Haveli

राम गोपाल गनेरीवाला हवेली

رام گوپال گنیری والا حویلی

シヴァ·プラタップ·ポッダル·ハーヴェリー
Shiv Pratap Poddar Haveli

शिव प्रताप पोद्दार हवेली

شیو پرتاپ پودر حویلی

ラム·ゴーパル·ガネリワラ·チャトリ
Ram Gopal Ganeriwala Chhatri

राम गोपाल गनेरीवाला छतरी

رام گوپال گنیری والا چھتری

ドワルカデッシュ寺院
Dwarkadheesh Mandir

द्वारकाधीश मंदिर

دوارکاڈیش مندر

ナワブ·アレフ·ハンの墓
Nawab Alif Khan Ka Maqbara

नवाब अलिफ खान का मकबरा

نواب علیف خان کا مقبرہ

ベヘリム·キングダム1922
Behlim Kingdom 1922

बेह्लिम किंगडम 1922

بہلم بادشاہی 1922

ダルガー·ホワジャ·ナジムッディーン·スライマニ
Dargah Khwaja Najmuddeen Sulaimani

दरगाह ख्वाजा नजमुद्दीन सुलैमानी

درگاہ خواجہ نجم الدین سلیمانی

ダウ·ジャンティ·バラジ·ダム寺院
Dau Janti Balaji Dham Mandir

दो जाँटी बालाजी धाम मंदिर

ڈاؤ جنتی بالاجی دھام مندر

クレシ農場
Qureshi Farm

कुरैशी फार्म

قریشی فارم

ジュンジュヌ
Jhunjhunu

झुंझुनू

جھنجھنو

ネルー・バザール
Nehru Bazar

नेहरू बाज़ार

نہرو بازار

イシュワルダス・モハンダス・モディ・ハーヴェリー
Ishwardas Mohandas Modi Haveli

मोदी हवेली

مودی حویلی

サマス・ハン廟
Nawab Samas Khan Maqbara

नवाब समस खान मकबरा

نواب سمس خان مقبرہ

ラニ・サティー寺院
Rani Sati Mandir

रानी सती मंदिर

رانی ستی مندر

シェカワティ・チャトリ
Cenotaphs of Shekhawati Rulars

शेखावाटी छतरी

شیخواتی چھتری

カニラム・ナルシンダス・ティブルワラ・ハーヴェリー
Kaniram Narsingdas Tibrewal Haveli

कनीराम नृसिंहदास टीबरेवाला हवेली

کنیارم نرسمہندس تبریولا حویلی

ナルッディン・ファルーキ・ハーヴェリー
Naruddin Farooqui Haveli

नारुद्दीन फारूकी हवेली

نورالدین فاروقی حویلی

ジョラワル・ガル
Jorawar Garh

जोरावर गढ़
جوراور گڑھ

ビハーリジー寺院
Bihariji Mandir

बिहारी जी मंदिर
بہاری جی مندر

バダルガル・フォート
Badalgarh Fort

बादलगढ़ किला
بادل گڑھ قلعه

ケートリー・マハル
Khetri Mahal

खेतड़ी महल
کھیتری محل

カマルッディーン・シャー廟
Dargah Kamruddin Shah

कमरुद्दीन शाह का मकबरा
درگاه کمر الدین شاه

ゴピナート寺院
Gopinath Mandir

गोपीनाथ मंदिर
گوپی ناتھ مندر

ビサウ・マハル
Bissau Mahal

बिसाऊ महल
بِساؤ محل

アカ・ガル
Akha Garh

अखा गढ़
اکھا گڑھ

ラクシュミー・ナラヤン寺院
Laxmi Narayan Mandir

लक्ष्मी नारायण मंदिर

لکشمی نارائن مندر

ダダバリ・ジャイナ寺院
Jain Mandir Dadabadi

जैन मंदिर दादाबाड़ी

جین مندر دادآبادی

メルタニの階段井戸
Mertani Ji Ki Bawari

मर्तनी जी की बावरी

مرتانی جی کی باوری

マンサ・デーヴィー寺院
Mansa Devi Mandir

मनसा देवी मंदिर

مانسہ دیوی مندر

バンデ・カ・バラジ寺院
Bandhe Ka Balaji Mandir

बंधे का बालाजी मंदिर

بندھے کا بالاجی مندر

パンチデブ寺院
Panchdev Mandir

पंचदेव मंदिर

پنچ دیو مندر

アジット・サガル湖
Ajit Sagar Lake

अजीत सागर तालाब

اجیت ساگر جھیل

ナワルガル
Nawalgarh

नवलगढ़

نوال گڑھ

アーナンディラル・ポダッル・ハーヴェリー

Dr. Ramnath A. Podar Haveli Museum

आनंदी लाल पोद्दार हवेली

اے پودر حویلی میوزیم

カマル・モラルッカ・ハーヴェリー

Kamal Morarka Haveli Museum

कमल मोरारका हवेली संग्रहालय

کمال مورارکا حویلی میوزیم

バラキラ・フォート

Bala Kila Fort

बाला किला

بالا قلعہ

ゴピナート寺院

Gopinath Mandir

गोपीनाथ मंदिर

گوپی ناتھ مندر

アアト・ハーヴェリー

Aath Haveli

आठ हवेली

آٹھ حویلی

ループ・ニワス宮殿

Roop Niwas Palace

रूप निवास

روپ نویس محل

ダンドロード

Dundlod

डुण्डलोद

ڈنڈلوڈ

シカール

Sikar

सीकर

سیکر

シカール・フォート

Sikar Fort

सीकर किला

سیکر قلعہ

ゴピナート寺院

Gopinath Mandir

गोपीनाथ मंदिर

گوپی ناتھ مندر

ディガンバラ・ジャイナ寺院

Shree Digmber Jain Mandir

श्री दिगंबर जैन मंदिर

ڈیگمبر جین مندر

ラグナート寺院

Raghunath Ji Mandir

रघुनाथजी मंदिर

رگھوناتھ جی مندر

ガンタ・ガル(クロック・タワー)

Ghanta Ghar (Clock Tower)

घंटा घर

گھنٹہ گھر

デヴィ・シン廟

Chhatri of Devi Singh

देवी सिंह की छतरी

دیوی سنگھ کی چھتری

チュルー

Churu

चुरू

چورو

マルジ・カ・カムラ

Malji Ka Kamra

मलजी का कमरा

ملجی کا کامرہ

コタリ・ハーヴェリー
Kothari Haveli

कोठारी हवेली

کوٹھاری حویلی

スラナ・ダブル・ハーヴェリー
Surana Double Haveli

सुराना डबल हवेली

سورانا ڈبل حویلی

チュルー・フォート
Churu Fort

चूरु किला

چورو قلعہ

ガンタ・ガル（クロック・タワー）
Ghanta Ghar (Clock Tower)

घंटा घर

گھنٹہ گھر

カンハイヤル・バグラ・ハーヴェリー
Kanhaiyalal Bagla Haveli

कन्हैयालाल बागला हवेली

کنہیا لال بگلا حویلی

アアト・カンブ・チャトリ
Ath Khambha Chhatri

आठ खंभा छतरी

آٹھ کھمبھا چھتری

ディガンバラ・ジャイナ寺院
Digmber Jain Mandir

दिगंबर जैन मंदिर

ڈیگمبر جین مندر

マントリ・チャトリ
Mantri Chhatri

मंत्री छतरी

منٹری چھتری

セタニ・カ・ジョハラ
Sethani Ka Johara

सेठानी का जोहड़ा

سیٹانی کا جوہرہ

ラームガル
Ramgarh

रामगढ़

رام گڑھ

ビサウ
Bissau

बिसाऊ

بِساؤ

マハンサル
Mahansar

महनसर

مہنسار

ラクシュマンガル
Laxmangarh

लक्ष्मणगढ़

لکشمن گڑھ

ラタンガル
Ratangarh

रतनगढ़

رتن گڑھ

ピラニ
Pilani

पिलानी

پلانی

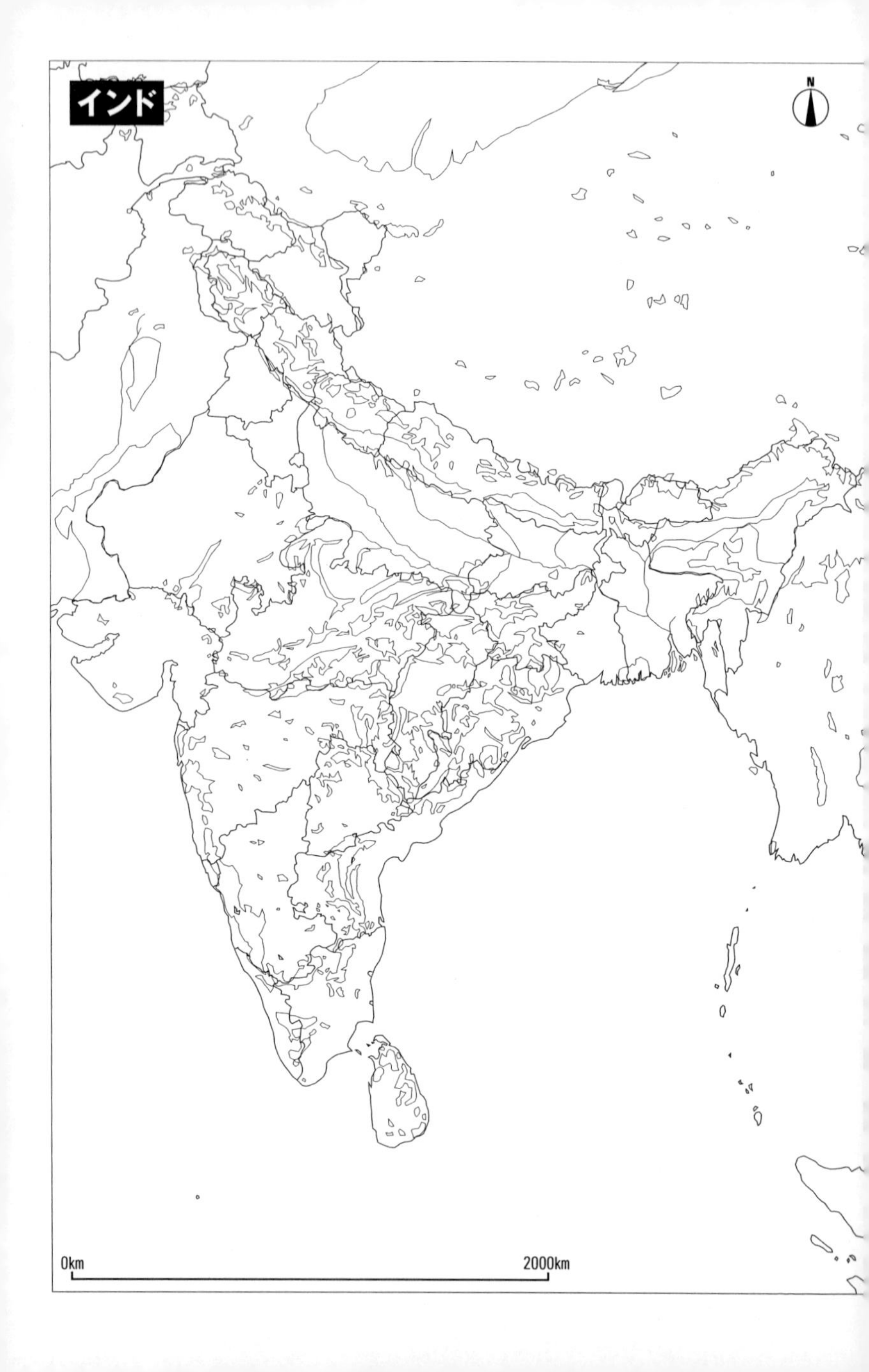
インド
N
0km
2000km

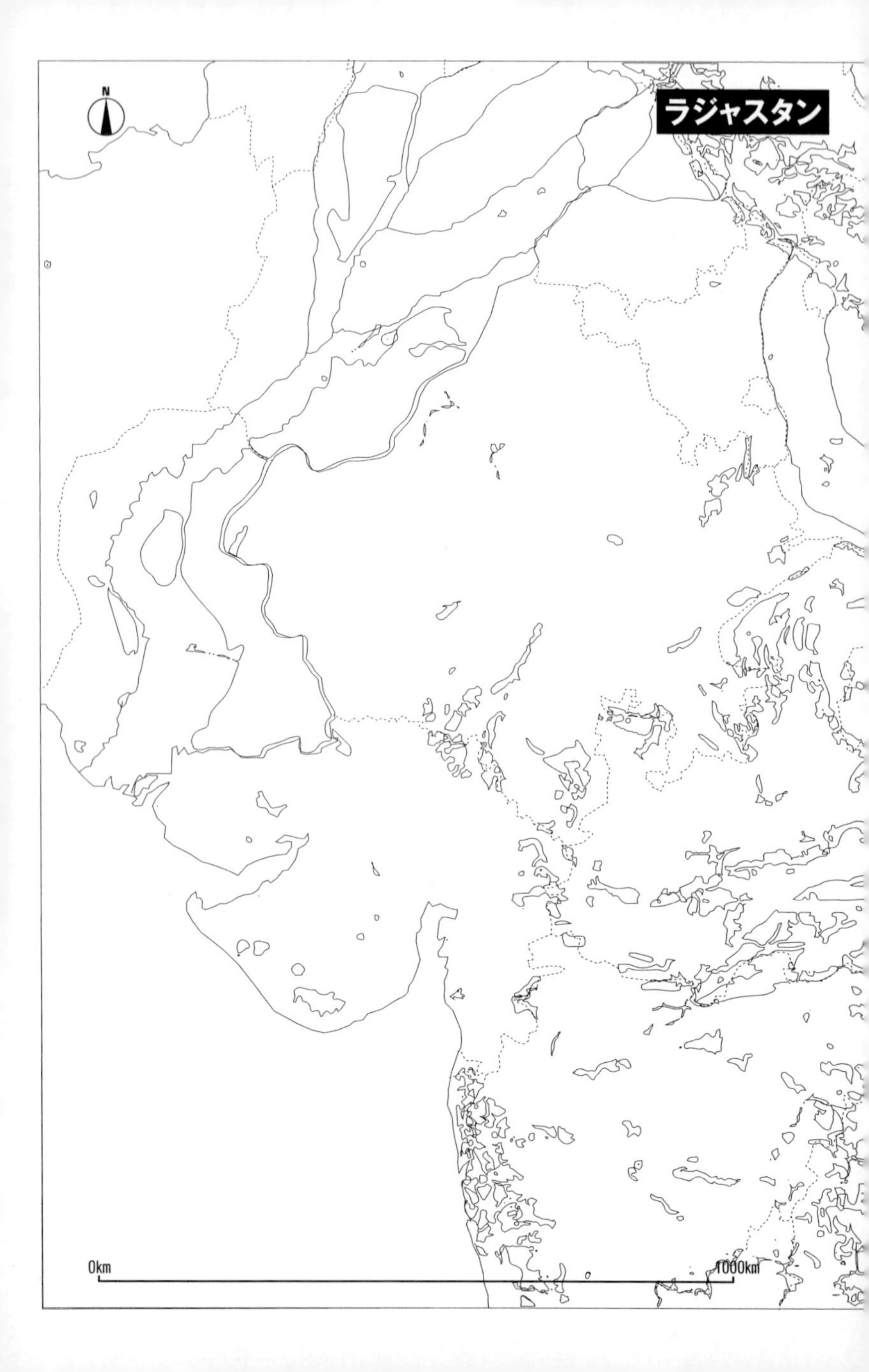
N
ラジャスタン
0km
1000km

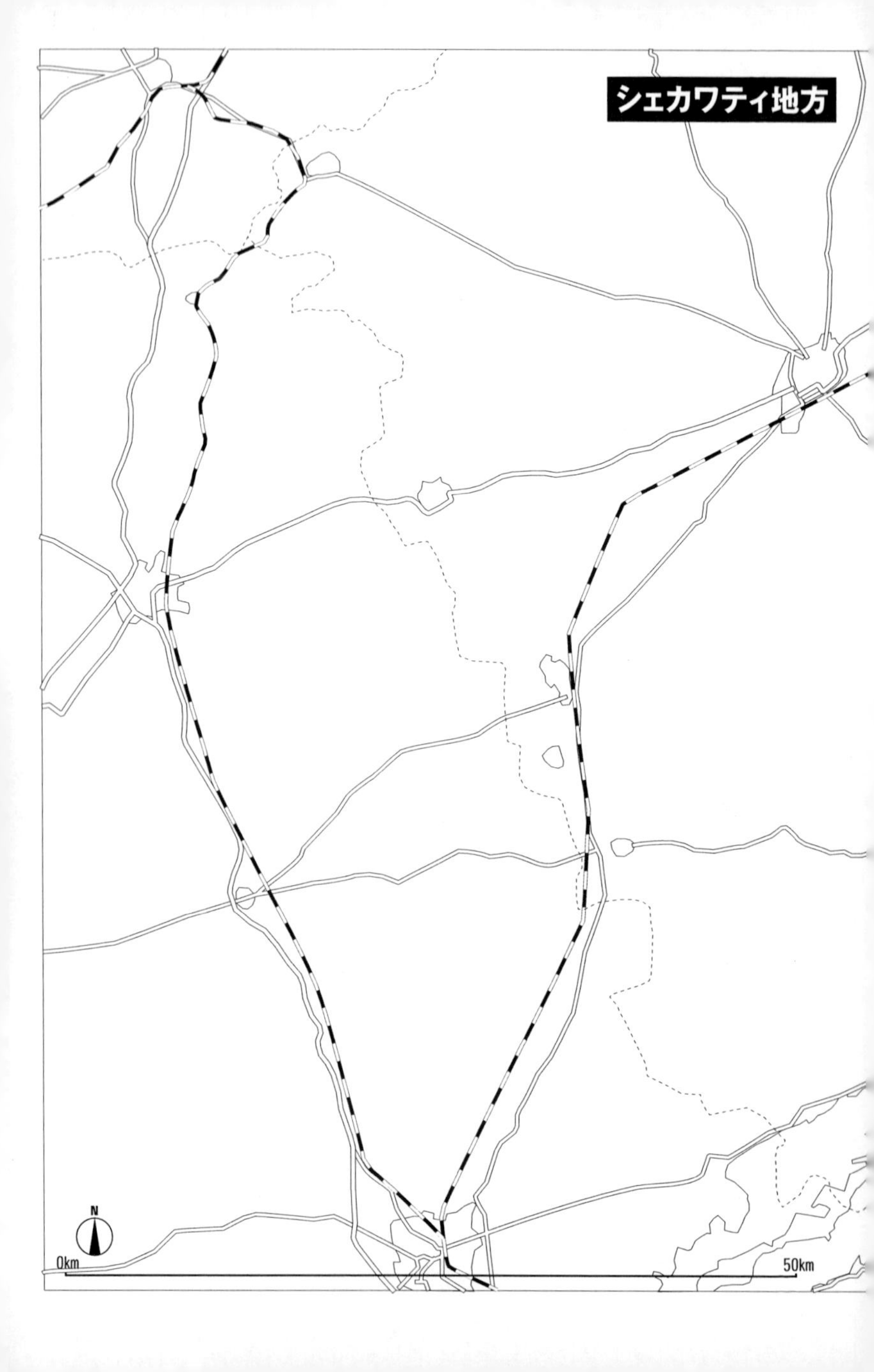
シェカワティ地方
N
0km
50km

マンダワ
N
0m
500m

バザール東部
N
0m
300m

ファテープル
N
0km
1km

ファテープル北部
N
0m
300m

ファテープル旧市街
0m
500m
N

ファテープル郊外
N
0km
3km

ジュンジュヌ
0km
1km
N

市街中心東部
N
0m
500m

市街中心西部
N
0m
500m

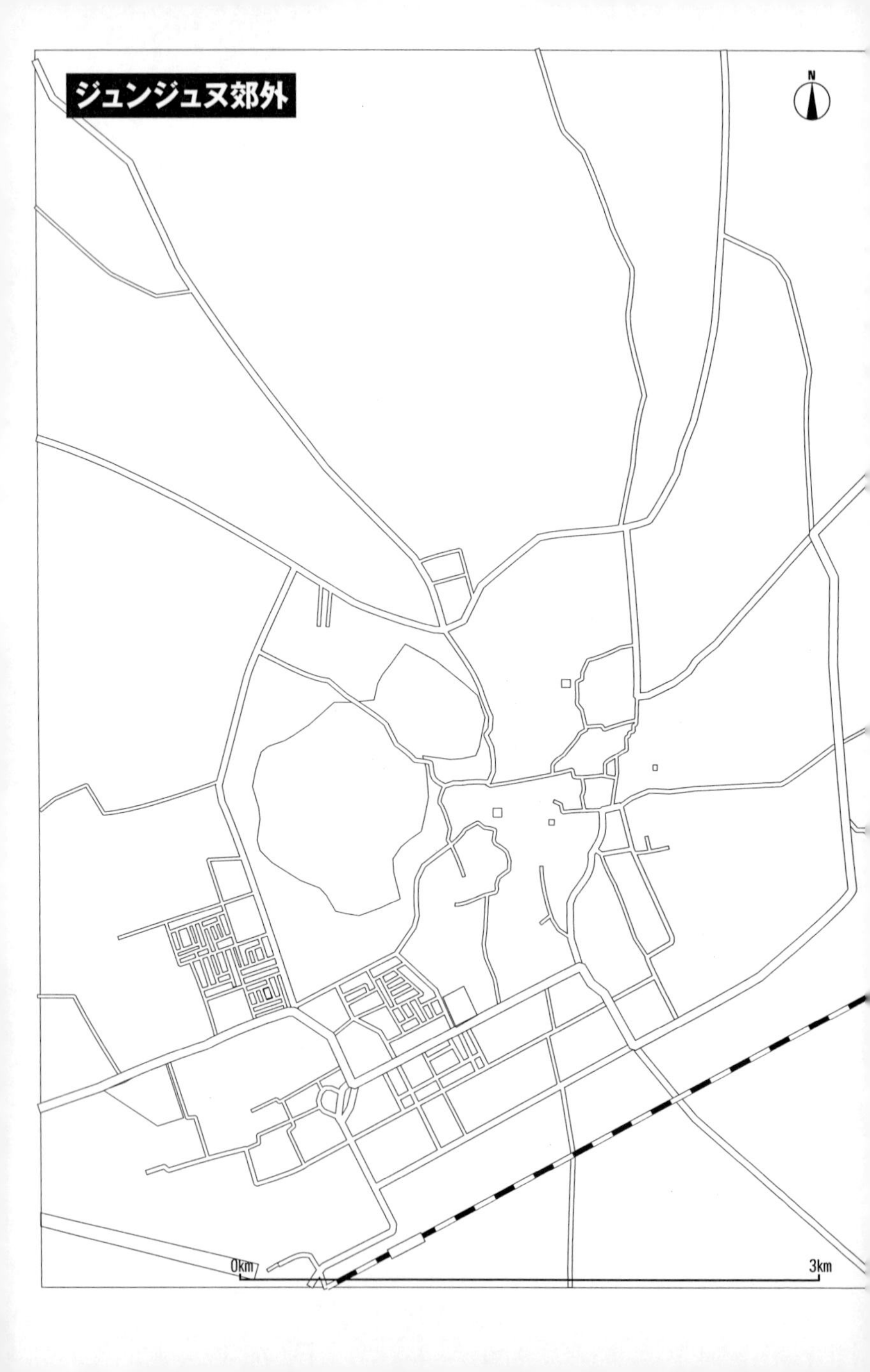
ジュンジュヌ郊外
N
0km
3km

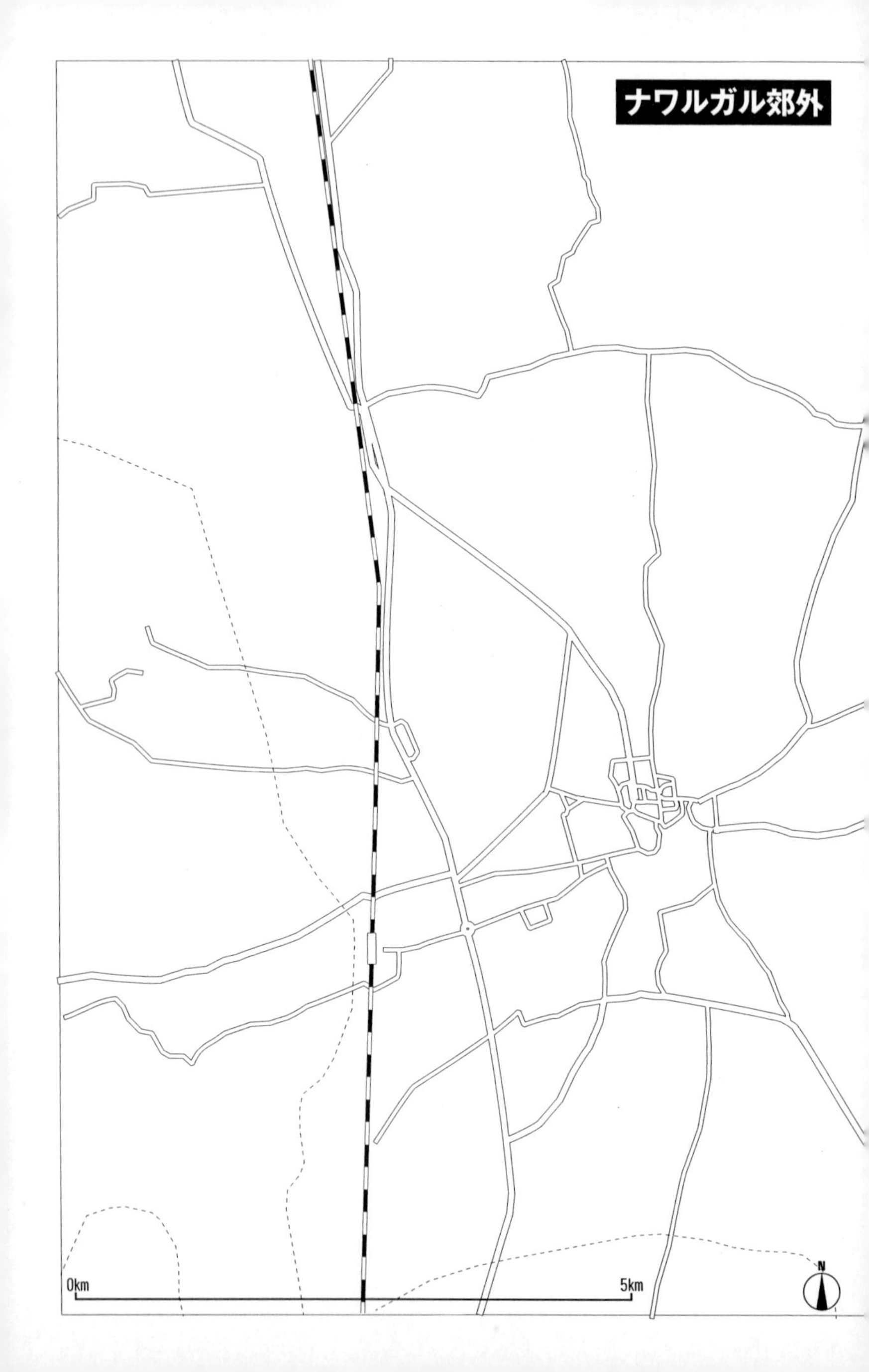
ナワルガル郊外
0km
5km
N

ナワルガル
N
0m
500m

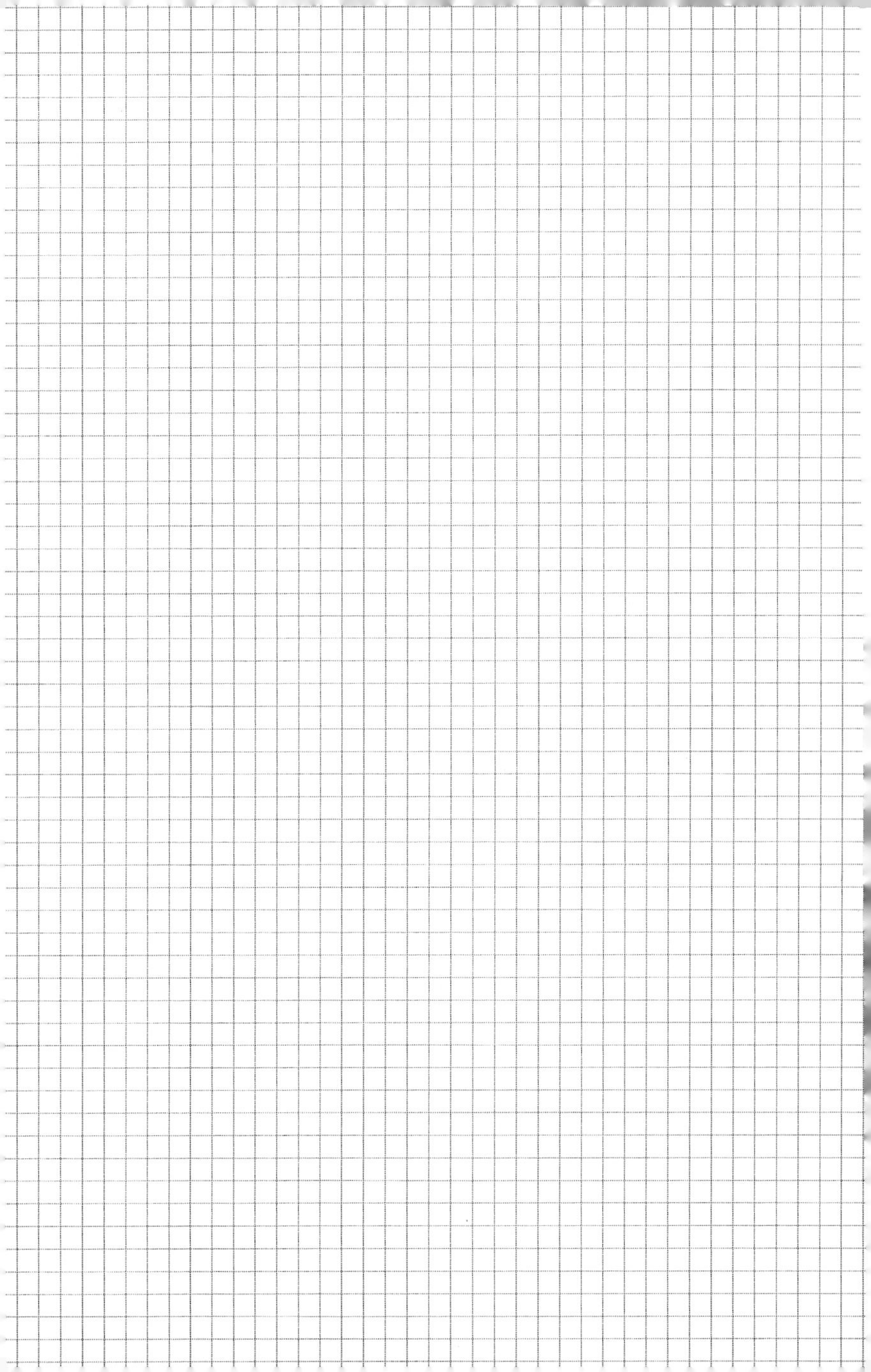

シカール
N
0m
500m

チュルー
N
0m
500m

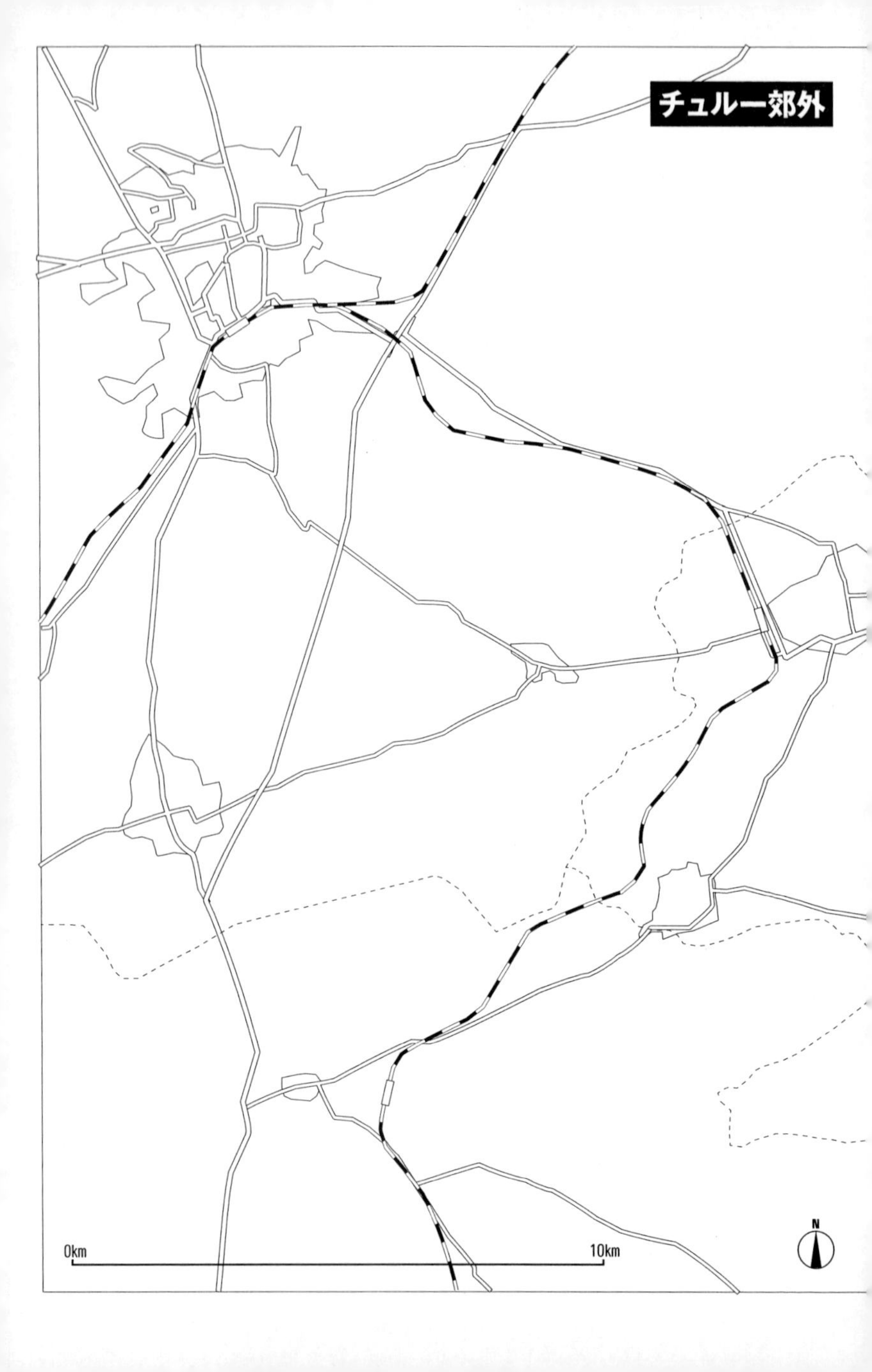
チュルー郊外
0km
10km
N

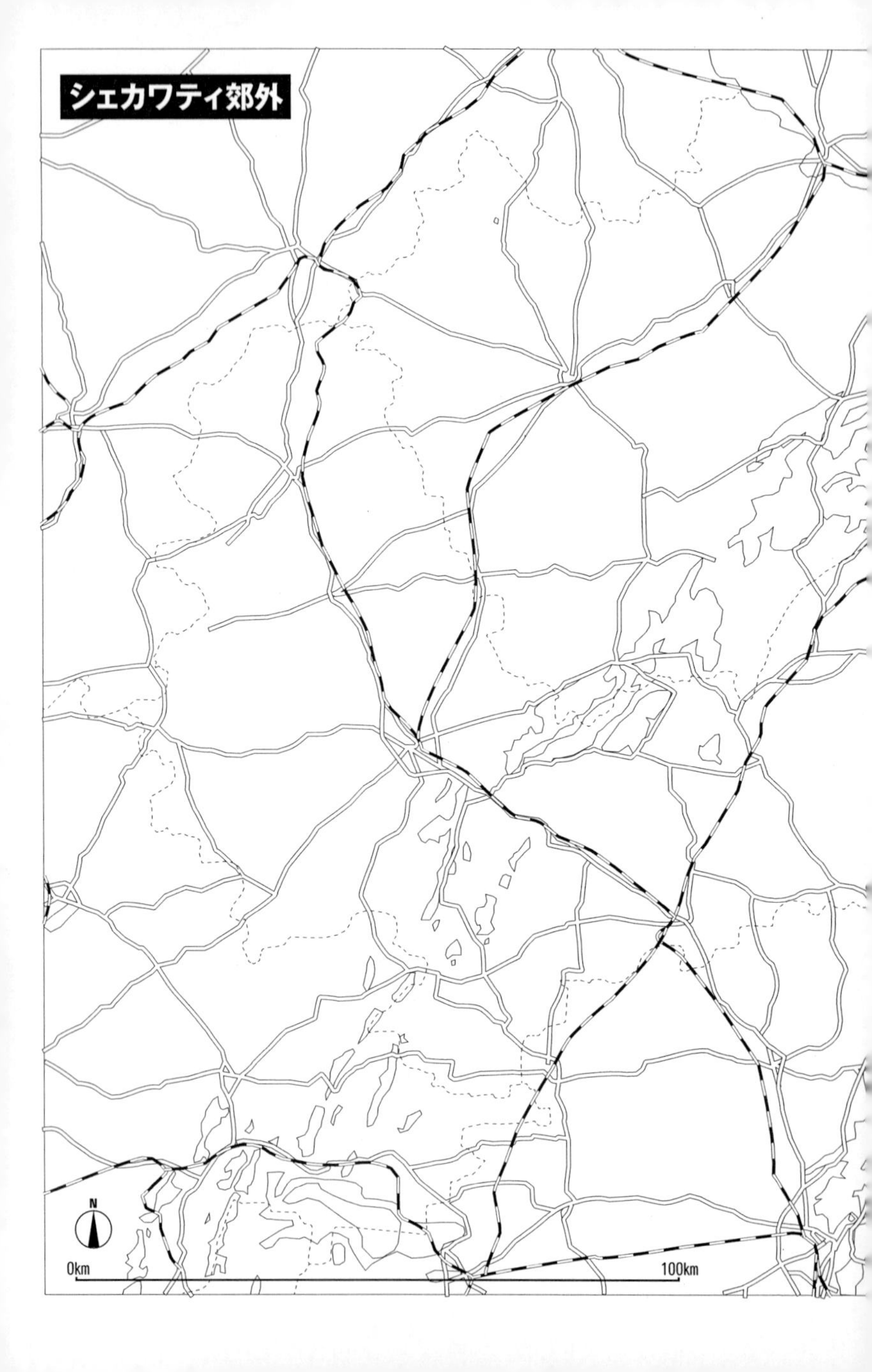
シェカワティ郊外
N
0km
100km

【車輪はつばさ】

南インドのアイラヴァテシュワラ寺院には
建築本体に車輪がついていて
寺院に乗った神さまが
人びとの想いを運ぶと言います

An amazing stone wheel of the Airavatesvara Temple
in the town of Darasuram, near Kumbakonam in the South India

まちごとインド
西インド 008

シェカワティ
三角地帯に残る「壁絵の世界」
［モノクロノートブック版］

「アジア城市（まち）案内」制作委員会
まちごとパブリッシング
http://machigotopub.com

・本書はオンデマンド印刷で作成されています。
・本書の内容に関するご意見、お問い合わせは、発行元の
まちごとパブリッシング info@machigotopub.com までお願いします。

まちごとインド
新版 西インド008シェカワティ
～三角地帯に残る「壁絵の世界」

2021年 3月18日　発行

著　者　「アジア城市（まち）案内」制作委員会
発行者　赤松　耕次
発行所　まちごとパブリッシング株式会社
〒181-0013　東京都三鷹市下連雀4-4-36
URL　http://www.machigotopub.com/
発売元　株式会社デジタルパブリッシングサービス
〒162-0812　東京都新宿区西五軒町11-13
清水ビル3F
印刷・製本　株式会社デジタルパブリッシングサービス
URL　http://www.d-pub.co.jp/

MP331

ISBN978-4-86143-483-9 C0326　Printed in Japan